Like Madrid, GCSE Spanish just got Real...

It's no secret that GCSE Spanish can be pretty challenging, and the latest Grade 9-1 exams are tougher than ever. But don't worry — help is at hand...

This brilliant CGP Workbook is packed full of exam-style reading, writing and listening questions, with free online audio files available from here:

www.cgpbooks.co.uk/GCSESpanishAudio

We've also added plenty of grammar practice to check you know your perfects from your passives. ¿What more could you ask?

CGP — still the best! ☺

Our sole aim here at CGP is to produce the highest quality books — carefully written, immaculately presented, and dangerously close to being funny.

Then we work our socks off to get them out to you — at the cheapest possible prices.

CONTENTS

CONTENTS

Published by CGP

Editors:
Chloe Anderson
Rose Jones
Matt Topping
Jennifer Underwood

Contributors:
Matthew Parkinson
Jacqui Richards

With thanks to Karen Wells for the proofreading.

With thanks to Ana Pungartnik for the copyright research.

Acknowledgements:
Audio produced by Naomi Laredo of Small Print.
Recorded, edited and mastered by Graham Williams of The Speech Recording Studio,
with the assistance of Andy Le Vien at RMS Studios.
Voice Artists:
Jessica Gonzalez Campos
David Martel Santana
Ángela Lobato del Castillo
Daniel Franco

AQA material is reproduced by permission of AQA.
Edexcel material is reproduced by permission of Edexcel.
Abridged and adapted extract on page 69 from 'Niebla' by Miguel de Unamuno.
Abridged and adapted extract on page 69 from 'Un viaje de novios' by Emilia Pardo Bazán.
Abridged and adapted extract on page 70 from 'Sonata de otoño' by Ramón del Valle-Inclán.
Abridged and adapted extract on page 116, and audio tracks, from 'Tormento' by Benito Pérez Galdós.

ISBN: 978 1 78294 544 4
Printed by Elanders Ltd, Newcastle upon Tyne.
Clipart from Corel®

Based on the classic CGP style created by Richard Parsons.

Numbers

1 Read these texts about Gloria, David and Salma's classes.

Gloria	En mi clase, hay treinta y dos alumnos. Soy la alumna más joven porque solo tengo quince años. Todos los demás tienen dieciséis años.
David	La semana pasada, nuestro profesor de biología nos dijo que tiene cuarenta y ocho años. En mi instituto, el aula de biología está en la segunda planta.
Salma	Prefiero las clases que tienen pocos alumnos. Es mejor que haya menos gente porque es más fácil escuchar al profesor. En mi clase ideal habría diez personas en vez de veinticinco como hay en realidad.

Answer the following questions.

Example: How many people are in Gloria's class? .... 32 ....

1 a How old did David's teacher say he is? .... [1 mark]

1 b What floor is David's biology class on? .... [1 mark]

1 c How many people are actually in Salma's classes? .... [1 mark]

2 Rellena los espacios blancos en **español**.

2 a Ese coche es el .... (3rd) coche que has comprado este año. [1 mark]

2 b Hay .... (875) libros en la biblioteca. [1 mark]

2 c Teresa nació en .... (1943). [1 mark]

3 Listen to Rosa and Carmen talking about travelling. Complete the sentences in **English**.

Example: Rosa has been to Madrid .... 6 times ....

3 a Carmen first visited Ireland in .... [1 mark]

3 b To get to Madrid, Rosa drives .... kilometres. [1 mark]

3 c Carmen hopes to go back to Ireland when she turns .... [1 mark]

Score: ☐ /9

Times and Dates

1 Rellena los espacios blancos en **español**.

1 a Voy al colegio .... (at nine o'clock). *[1 mark]*

1 b Mi clase preferida es inglés .... (at half past ten). *[1 mark]*

1 c La hora de comer es .... (at quarter to one). *[1 mark]*

1 d La última clase empieza .... (at twenty to three). *[1 mark]*

1 e Vuelvo a casa .... (at ten to four). *[1 mark]*

2 Marta has written about her plans for the week.
Answer the questions below about her schedule in **English**.

> Esta semana ¡hay tantas cosas que tengo que hacer! Ayer no fui al supermercado,
> por eso voy a ir hoy. Mañana por la mañana tengo un examen y luego trabajo en
> la peluquería desde las cuatro hasta las ocho. Estudio en la biblioteca cada dos
> días, pero pasado mañana no podré porque se cierra a las tres. El jueves saldré
> con mis amigos e iremos al cine. Los viernes después del colegio, normalmente
> ayudo a mi hermano menor con sus deberes, pero se ha ido de camping con
> nuestro padre esta semana. El sábado tendré poco tiempo para relajarme.
> Debo comprar nuevas sandalias ya que la semana que viene ¡iré a Argentina!

2 a When is Marta going to the supermarket? .... *[1 mark]*

2 b When is her exam? .... *[1 mark]*

2 c How often does Marta study in the library? .... *[1 mark]*

2 d What does she normally do on Fridays? ....

.... *[1 mark]*

2 e Why can't she do it this week? .... *[1 mark]*

2 f When must she buy new sandals? .... *[1 mark]*

3 Nerea and Pablo are talking about birthdays.
Listen to what they say and answer the questions in **English**.

3 a When is Nerea's birthday? .... *[1 mark]*

3 b Who does Pablo say has the same birthday as Nerea? .... *[1 mark]*

3 c When is Pablo's birthday? .... *[1 mark]*

3 d When is Nerea's cousin's birthday? .... *[1 mark]*

4 Omar has written an essay about the seasons for homework.

> Prefiero visitar otros países en invierno. Me encanta viajar a climas tropicales cuando hace frío en mi país. En el verano, mi padre y yo jugamos al bádminton casi todos los fines de semana. Nos gusta pasar tiempo juntos. Si tuviera que elegir la estación que más me gusta, sería el otoño. Me gusta admirar los colores maravillosos de los árboles. Es relajante pasar tiempo en el jardín en primavera también.

Which two statements are **true**? Write the letters in the boxes.

A	Omar likes being outside in the spring.
B	Omar plays badminton in the winter.
C	Omar likes going on holiday in the summer.
D	Omar's favourite season is autumn.

☐ ☐

[2 marks]

5 Completa las frases en **español**. *Remember to write the numbers out in full.*

5 a Voy al dentista .... (on Monday 26th June). *[1 mark]*

5 b El tren llegará .... (this evening at five past eight). *[1 mark]*

5 c Naciste en .... (1976). *[1 mark]*

5 d Comenzará .... (tomorrow at ten to one). *[1 mark]*

5 e Se va a casar .... (on Saturday 15th August). *[1 mark]*

Score: ☐ / **22**

 ☐ ☐ ☐

Section 1 — General Stuff

Opinions

 1 Read this conversation between Saskia and Thiago, and then write the sports in **English** in the table below. You may have to write more than one sport in a box.

Thiago:	Saskia, ¿te gusta jugar al fútbol?
Saskia:	A mí me encanta el fútbol, pero no me gusta el rugby. ¿Te gusta jugar al golf?
Thiago:	A mi padre le gusta jugar al golf pero yo encuentro el golf poco divertido. Me encanta el tenis, es mi deporte preferido. Me gusta mucho jugar al hockey también.
Saskia:	¿El hockey? ¡Odio el hockey! Es aburrido.

		Loves / likes	Doesn't like / hates
1 a	Saskia		
1 b	Thiago		

[3 marks]

[3 marks]

 2 Listen to Farah being asked about various foods and drinks. For each food or drink, put a tick in the appropriate box to indicate her opinion.

		Loves	Likes	Doesn't like	Hates
2 a	coffee				
2 b	breakfast cereals				
2 c	potatoes				
2 d	pears				
2 e	chocolate				

[1 mark]

[1 mark]

[1 mark]

[1 mark]

[1 mark]

3 Diego, Clara and Juan have written about various activities.
Read their opinions and answer the questions in **English**.

Diego	La actividad que ocupa la mayoría de mi tiempo libre es la música. ¡Es estupenda! Toco la guitarra en un grupo con mis amigos y el próximo mes vamos a participar en un concierto con otros grupos. ¡Qué emocionante!
Clara	Me encanta escribir novelas. En mi imaginación, creo mundos interesantes y luego escribo sobre las personas que viven en estos lugares y sus vidas entretenidas. Sería maravilloso publicar un libro en el futuro.
Juan	Aunque tengo dos televisiones, nunca las veo. No tengo tiempo para ver una serie todos los días. Sin embargo, me gusta ir al cine para ver películas porque es una experiencia emocionante.

Example: How does Diego describe music? _Fantastic_

3 a How does Clara describe her characters' lives? .... *[1 mark]*

3 b What does Clara hope to do one day? .... *[1 mark]*

3 c Why doesn't Juan watch television? .... *[1 mark]*

3 d What does Juan think of going to the cinema? .... *[1 mark]*

4 Translate this dialogue into **Spanish**.

— What do you think about this article in the newspaper?
— I think that the journalist has some good ideas.
— I disagree. I think the other article is better.
— What's your opinion of the book he has read?
— I find it fantastic.

....

....

....

....

....

....

[9 marks]

Score: ☐ /**24**

   Section 1 — General Stuff

About Yourself

1   Your Spanish exchange partner David has written to you to introduce himself.

> ¡Hola! Me llamo David y mi apellido es Rodríguez. Actualmente vivo en España pero nací en Francia. Mi padre es español y mi madre es francesa. Vivo aquí en España desde hace nueve años. Acabo de cumplir catorce años. Mi cumpleaños es el veinticuatro de enero.

Which two statements are **true**? Write the letters in the boxes.

A	David has always lived in Spain.
B	David moved to Spain when he was nine.
C	David is fourteen years old.
D	David's parents are French.
E	David's birthday is in January.

[2 marks]

2   Listen to Jaime describing one of his friends.
Complete the following sentences in **English**.

Example: Jaime comes from...

      Madrid
....

2 a   Jaime's best friend is called...

....   *[1 mark]*

2 b   Her birthday is on the...

....   *[1 mark]*

2 c   She was born in the year...

....   *[1 mark]*

2 d   She comes from...

....   *[1 mark]*

3 Translate this text into **Spanish**.

My name is Miguel and my family and I live in Galicia in the north of Spain. We have been living here for four years. Before, we used to live in Valencia. My birthday is the fifth of May. I was born in 1999. In the future, I would like to live in Portugal.

Write the numbers out in full.

....

....

....

....

....

....

[12 marks]

 4 Completa el texto con palabras de la lista. Escribe la letra correcta en cada casilla.

¡Hola! Me llamo Alessia y vivo en ☐ . La familia de mi madre siempre ☐ aquí,

pero mi padre ☐ de Bolivia. Voy a ir a Bolivia el ☐ que viene .

Mi cumpleaños es el nueve de ☐ y ☐ dieciséis años.

A	es	D	cumpliré
B	Argentina	E	año
C	septiembre	F	ha vivido

[6 marks]

Score: ☐ **/24**

My Family

1 Read these teenagers' opinions about their families, and then answer the questions.

Me llamo Euan y soy hijo único. No me gustaría tener hermanos porque mis padres tendrían menos tiempo para mí. Además, podemos ir de vacaciones, lo que no sería posible si tuviera hermanos.

Soy Iris. Era hija única, pero ahora tengo dos hermanastros. La casa es más ruidosa y está menos limpia que antes, pero prefiero tener una familia grande porque es más divertido.

Mi nombre es Alina. Vivo con mi madre y mis hermanas pequeñas. No me gusta ser la mayor de mis hermanas, porque tengo más responsabilidades que ellas. A veces, no es justo.

1 a   Who has a step-family?   ....   *[1 mark]*

1 b   Who feels life isn't fair at times?   ....   *[1 mark]*

1 c   Who thinks being an only child is ideal?   ....   *[1 mark]*

2 Translate this text into **Spanish**.

In my family, there are a lot of young people. There are many children too. I have three younger sisters and one older step brother who is called Mateo. He used to live with his father, but now he lives with us. Next year, my grandmother will come to live here too.

....

....

....

....

....

....

[12 marks]

Score: [ ] /15

Section 2 — Me, My Family and Friends

Describing People

 1 Translate this text into **English**.

> — ¿Por qué estás triste, Ana? preguntó su amigo.
> — Soy muy fea y tengo pecas, respondió.
> — ¡No seas tonta! Mira tu pelo rizado y tus ojos azules. Mucha gente está muy celosa de ti.
> — Gracias. Pero me gustaría ser más alta y tener el pelo más largo.

....

....

....

....

....

....

[9 marks]

 2 Four young people are describing what they look like.
Mark each **true** aspect of their current appearance with a tick.

		brown eyes	short hair	black hair	curly hair	glasses	beard
Example:	Luca	✓			✓		✓
2 a	Beatriz						
2 b	Faisal						
2 c	Pilar						

[6 marks]

3 Read what Kevin says about his family and then write the correct letter in each box.

> Mi padre es pelirrojo y lleva gafas como yo. No me gusta llevar gafas porque me molestan cuando llueve porque no puedo ver nada. Mi madre es gemela y es muy interesante ver las pocas diferencias que hay entre ella y su hermana. Sin embargo, creo que sería rarísimo ver a otra persona que se te parece tanto. Si pudiera cambiar mi apariencia física, me gustaría ser más alto para poder jugar en el equipo de baloncesto de mi colegio.

3 a What does Kevin say about wearing glasses?

A	He likes them because they're cool.
B	He likes them because his father wears glasses too.
C	He doesn't like them because they're sometimes annoying.

[1 mark]

3 b What does he say about his mother's appearance?

A	She looks very similar to her twin sister.
B	His mother and her twin are tall.
C	She sometimes finds the idea of being a twin strange.

[1 mark]

3 c What does Kevin say about his height?

A	He's tall enough to play basketball.
B	He doesn't care about his height.
C	He'd like to be taller.

[1 mark]

4 Translate this text into **Spanish**.

> My girlfriend Blanca is shorter than me and she has blonde hair and brown eyes. I think she is good-looking. I am medium height and I have short dark hair. I would like to have blue hair but my father told me that he hates blue hair. He's old and he doesn't understand me.

....

....

....

....

....

....

[12 marks]

Score: ☐ /30

Section 2 — Me, My Family and Friends   ☹ ☐   😐 ☐   ☺ ☐

Personalities

1   Ravi ha escrito sobre su deportista preferido para un concurso.
Lee lo que dice y contesta a las preguntas en **español**.

> Si pudiera conocer a cualquier deportista, sería mi héroe de toda la vida, el futbolista
> Pau Rodríguez. No solo es fuerte físicamente, sino también es inteligente, una cualidad
> que le permite jugar tácticamente y con mucho éxito. En los periódicos se lee con
> mucha frecuencia artículos que critican a los jugadores por su mal comportamiento
> en los momentos más estresantes de los partidos. A veces se ponen a pelear con
> el equipo rival y reciben tarjetas amarillas e incluso rojas como castigo. Rodríguez,
> sin embargo, no es así. Siempre piensa antes de actuar, lo que le ha convertido en un
> modelo a seguir para los jóvenes y sus compañeros de equipo también.

1 a   ¿Cuánto tiempo lleva Ravi admirando a su ídolo?

.... *[1 mark]*

1 b   ¿Qué opinan algunos periodistas sobre los jugadores de fútbol?

.... *[1 mark]*

1 c   ¿Por qué es Pau Rodríguez un buen ejemplo para otra gente?

.... *[1 mark]*

2   Elige la palabra más apropiada para describir a los amigos de Mónica.
Escribe la letra correcta en cada casilla.

A	sociable	C	cariñoso/a	E	trabajador/a	G	callado/a
B	perezoso/a	D	atrevido/a	F	creativo/a	H	feliz

2 a   Antonia es   ☐

[1 mark]

2 b   Mikhail es   ☐

[1 mark]

2 c   Jessica es   ☐

[1 mark]

2 d   Fátima es   ☐

[1 mark]

2 e   Roberto es   ☐

[1 mark]

Score: ☐ /8

Section 2 — Me, My Family and Friends

Pets

1 Translate the following passage into **English**.

> Tengo un hámster negro que se llama Elvis. Lo compré hace dos años. Elvis me hace
> reír mucho porque es un poco tonto. Duerme en su casa durante el día y sale por
> la noche para comer y jugar. A veces hace mucho ruido y no me deja dormir. En un
> mundo ideal, tendría varios hámsters, pero de momento no tengo suficiente espacio.

....

....

....

....

....

....

[9 marks]

2 Lee estos comentarios sobre cómo elegir una mascota.

Orlando	Hay que pensar en tu casa. Si no puedes ofrecer un lugar donde vivir, dormir, correr y comer a un animal grande, deberías escoger un animal más pequeño.
Aina	Los costes de mantener a una mascota pueden ser considerables. Es importante que pienses en la cantidad de dinero que puedes permitirte gastar antes de elegir un animal que necesitaría clases de entrenamiento y comida cara.
Issah	Cualquier animal de pelo puede causar alergias. Por eso, pregúntate si hay alguien en tu familia que podría sufrir debido a la criatura que eliges.
Begoña	Algunos animales pueden estar contigo mucho tiempo. Por ejemplo, una tortuga puede vivir setenta años. ¿Podrías cuidarlo durante toda su vida?

¿Quién es la persona correcta? Escoge entre: **Aina**, **Issah** y **Begoña**.

Ejemplo: .....*Orlando*..... dice que es importante que el animal tenga suficiente espacio.

2 a .... dice que debes considerar el efecto del animal sobre tu familia. *[1 mark]*

2 b .... dice que es crucial pensar en la duración de la vida del animal. *[1 mark]*

2 c .... dice que hay que investigar el lado económico de la situación. *[1 mark]*

Score: [ ] **/12**

Style and Fashion

1 Tomás has written this article about fashion for the school newspaper.

> Ir vestido a la moda no significa que tienes que gastar mucho en ropa. La mayoría de mi ropa cuesta muy poco. Lo bueno es que puedo comprar algo y si no me queda bien o si de repente me parece anticuado, puedo tirarlo a la basura sin preocuparme. En cambio, las creaciones de los diseñadores de moda parecen poco prácticas. Si yo llevara las cosas que llevan los modelos, seguro que mis amigos se reirían de mí y me sentiría ridículo. Sin embargo, para muchas personas, es importante poder decir que solo llevan marcas carísimas.

What does the article tell us? Put a cross next to the **three** correct statements.

A	Tomás would like to be able to afford designer clothes.	
B	Tomás spends a lot of money on fashion.	
C	Tomás thinks you can be fashionable without spending much money.	
D	Tomás is concerned about the amount of clothes he throws away.	
E	Practicality is an important consideration for Tomás.	
F	Tomás's friends all wear luxury brands.	
G	Tomás is influenced by his friends' reactions to his fashion choices.	

[3 marks]

2 Traduce el texto siguiente al **español**.

> In my opinion, it's very important to be fashionable and I love to dress like my favourite celebrities. Recently I bought some silk trousers and a woollen scarf. After school, I would like to be a designer. It would be perfect to have my own business.

....

....

....

....

....

....

[12 marks]

Score: ☐ /15

Relationships

1 Translate this text into **Spanish**.

> When I was little, I got on well with my parents but now I prefer to talk to my grandparents. They are more understanding. Therefore, I would prefer to live with them. I think I'll get on better with my parents in the future. We will not fight as much and they will be more sensitive.

....

....

....

....

....

[12 marks]

2 You are about to go on an exchange trip. Your exchange partner has written to you about herself, her family and her friends. Read the text and answer the questions in **English**.

> ¡Hola Katherine! Soy Roxana y te he escrito para hablarte de mi familia y mis amigos. Me llevo muy bien con mis padres porque son comprensivos y me ayudan mucho con mis deberes. En casa no nos peleamos mucho pero a veces hay problemas entre mis amigos. Me llevo bien con la mayoría de mis amigos, pero hay una chica en mi grupo que se llama Tania y siempre causa problemas. Es un poco egoísta y cree que es la persona más importante del mundo. De vez en cuando es maleducada y ha tenido problemas con varios profesores por no haber hablado con respeto. En el futuro tendrá muchas dificultades si no aprende a llevarse bien con la gente.

2 a Why does Roxana get on well with her parents? Give **two** details.

1. ....

2. .... *[2 marks]*

2 b Why doesn't Roxana get on well with Tania? Give **one** reason.

.... *[1 mark]*

2 c Why has Tania had problems with some of the teachers at school?

.... *[1 mark]*

Score: ☐ /**16**

Socialising with Friends and Family

 1   Un periodista ha escrito este artículo. Contesta a las preguntas en **español**.

> No hay duda de que el rol de la familia ha cambiado en los últimos años. Debido a una falta de alojamiento barato, muchos jóvenes se ven obligados a vivir con sus padres aún hasta los treinta años. Esta situación puede beneficiar a todos — los jóvenes tienen la seguridad de un techo barato y los padres tienen más gente que les puede ayudar en casa.
>
> Esta relación amistosa entre padres e hijos parece muy positiva, pero a veces surgen problemas. Muchos jóvenes prefieren socializar con sus amigos que estar en casa con sus padres, pero si pasan mucho tiempo fuera de casa, no pueden contribuir mucho a la vida de la familia. Además puede haber conflictos en cuanto a una falta de espacio personal, lo que puede dificultar la relación entre los miembros de la familia.

1 a   Muchos jóvenes tienen que permanecer en casa de sus padres. ¿Por qué?

....   *[1 mark]*

1 b   ¿Cuál es la ventaja para los padres cuyos hijos todavía viven con ellos?

....   *[1 mark]*

1 c   Según el periodista, ¿por qué hay tensiones entre padres e hijos? Da **dos** detalles.

 1. ....

 2. ....   *[2 marks]*

 2   Translate this passage into **English**.

> La mayoría del tiempo soy una persona bastante sociable. Sin embargo, ayer decidí quedarme en casa con mi hermana menor porque estaba de mal humor y no tenía ganas de salir. El sábado que viene iré a un concierto de jazz con mi mejor amiga. ¡Lo pasaremos fenomenal!

....

....

....

....

....

[9 marks]

Score: ☐ **/13**

Section 2 — Me, My Family and Friends

Partnership

1   Listen to Inés and Saúl talking about marriage.

1 a   Which two statements are **true**? Write the letters in the boxes.

A	Saúl's wedding will be on the 22nd of June.
B	Saúl will get married in a church.
C	Saúl and Alba are going to invite lots of people to their wedding.
D	There will be four bridesmaids.

[2 marks]

1 b   Which two statements are **true**? Write the letters in the boxes.

A	Inés has clear views on whether she wants to get married or not.
B	Inés thinks weddings are romantic.
C	Inés has a boyfriend who wants to get married.
D	Inés has based some of her views on her parents' experiences.

[2 marks]

2   Translate this text into **Spanish**.

> My parents don't get on very well. Last month they decided that it would be better to separate. I will live with my mother during the week and I will visit my father at the weekends. The good thing is that I get on well with my older brother. I trust him and he has a good sense of humour.

....

....

....

....

....

....

[12 marks]

Score: /**16**

Technology

1 Translate this text into **Spanish**.

> My parents hate technology. Last year they bought a computer, but they only use it to send emails. I think it is essential to know how to surf the web. I use the Internet to download music. I couldn't live without the Internet because it's a very big part of my life.

....

....

....

....

....

....

[12 marks]

2 Has encontrado un artículo sobre la tecnología en una revista española.
Lee el artículo y contesta a las preguntas en **español**.

> Debido a la llegada del Internet, nuestros hábitos han cambiado dramáticamente durante los últimos años. Para alguna gente, ha sido difícil adaptarse a tantos cambios. Por eso, el gobierno español acaba de revelar un programa especial para reducir el miedo que ciertas personas tienen a la tecnología. Se ofrecerá a cualquier persona en España la oportunidad de asistir a clases en su barrio para aprender sobre el mundo complicado del Internet. Los alumnos aprenderán a usar buscadores para encontrar información, a hacer las compras en el Internet, y a mandar y recibir correos electrónicos.

2 a ¿Qué ha pasado recientemente gracias a Internet?

.... *[1 mark]*

2 b ¿Cuál es el objetivo del gobierno?

.... *[1 mark]*

2 c ¿Quién puede asistir a los talleres de informática?

.... *[1 mark]*

2 d ¿Qué les enseñarán a los participantes? Menciona **dos** cosas.

.... *[2 marks]*

3 José and Laura are preparing a presentation about what they use the Internet for. Listen to their presentation and then answer the questions below in **English**.

What does Laura use the Internet for? Give **three** things.

3 a .... *[1 mark]*

3 b .... *[1 mark]*

3 c .... *[1 mark]*

3 d What, according to José, is the biggest problem with the Internet?

.... *[1 mark]*

3 e What does Laura think is the biggest disadvantage of the Internet?

.... *[1 mark]*

4 Translate this text into **Spanish**.

> The Internet isn't dangerous, but it's important to know how to use it well. My mobile phone has a password to protect my information. When my parents gave me my computer, they talked to me about the risks of the Internet. We should learn more about the dangers of the Internet in school because many people don't know anything about them.

....

....

....

....

....

....

....

....

[12 marks]

Section 3 — Technology in Everyday Life

Score: [ ] /34

Social Media

1 Translate this text into **English**.

> — ¿Has visto el muro de Luisa recientemente? — preguntó Naiara.
> — No, ¿por qué? dijo Sara.
> — Porque acaba de colgar unas fotos muy tontas y pienso que hay una foto de ti.
> — ¿De verdad? Tendré que llamarla ahora mismo para preguntarle por qué lo hizo.
> — Sí, claro. Luisa no piensa nunca antes de publicar cosas en las redes sociales.

....

....

....

....

....

....

[9 marks]

2 Translate this text into **Spanish**.

> All my friends like using social networks. I have been using them for three years.
> I post photos and chat to my friends. I would like to start a blog about my favourite
> bands. I have read other blogs about them and I think I could do it better.

....

....

....

....

....

[12 marks]

3 Translate this text into **English**.

> A mi amigo le encantan las redes sociales. Estoy harto de no verle, así que le dije:
> — ¿Por qué no vienes a tomar un café con nosotros? ¡Pasas todo el tiempo en tu portátil!
> ¡Es importante hacer otras cosas de vez en cuando, Fernando! Yo sé que las redes
> sociales tienen ventajas, pero ¡estás obsesionado!

....

....

....

....

....

....

....

....

[9 marks]

4 Unos jóvenes están participando en un debate sobre las redes sociales. Para cada persona, decide si tiene una opinión positiva (**P**), negativa (**N**), o positiva y negativa (**P+N**).

4 a Azucena ☐

[1 mark]

4 b Sharif ☐

[1 mark]

4 c Silvia ☐

[1 mark]

Score: ☐ /**33**

Section 3 — Technology in Everyday Life

Books and Reading

1 Read these forum comments about reading.

	¡Nunca he leído nada! Bueno, esa no es toda la verdad, pero nunca he leído ningún libro por placer. Pienso que es una pérdida de tiempo — hay tantas cosas que puedes hacer en tu tiempo libre. Sin embargo, si leyera más, a lo mejor sacaría mejores notas en mis exámenes. — **Bea**
	Voy a un club de lectura cada mes. Es fascinante hablar sobre lo que he leído con los otros miembros porque a veces tenemos interpretaciones muy distintas. Otra ventaja de la lectura es que gracias al tiempo que he pasado con un libro en la mano, tengo un gran vocabulario. — **Erik**
	No sabría qué hacer si no me dejaran leer. La lectura alimenta mi imaginación. Varios científicos han demostrado que la lectura trae varios beneficios también. Por ejemplo, dicen que leer un libro es una actividad muy sana y que mejora la memoria. — **Marlon**

Who says what about reading? Enter either **Bea**, **Erik** or **Marlon** in the gaps below.

Example: ...._Bea_........ says that reading is a waste of time.

1 a .... says that reading is linked to exam success. *[1 mark]*

1 b .... likes to discuss what they've read. *[1 mark]*

1 c .... says that reading can be good for your health. *[1 mark]*

2 Traduce el texto siguiente al **español**.

I love detective novels. When I was younger, they scared me but now I like them a lot. When I am older, I would like to write novels. I think it would be fun to spend all day thinking about ideas for books. However, I am not very patient, so I would only write short books.

....

....

....

....

....

....

[12 marks]

Score: .... **/15**

Music

 1 Translate this text into **English**.

> — ¿Quieres ir a un concierto conmigo el sábado que viene? Es un concierto de música clásica.
>
> — Lo siento, odio la música clásica. Iría contigo si fuera un concierto de música rock.
>
> — ¿Por qué no te gusta la música clásica?
>
> — Siempre me parece un poco aburrida. Lo siento mucho.

....

....

....

....

....

....

....

[9 marks]

 2 Listen to Luis, Rubén and Elena talking about music. Fill in the table to show what they used to do, what they do now and what they want to do in the future.

		Past	Present	Future
Example:	Luis	played piano	sings in a choir	play guitar

		Past	Present	Future
2 a	Rubén			
2 b	Elena			

[6 marks]

3 Translate this text into **Spanish**.

> Music is very important to me. I play the guitar and I used to play the piano. My favourite genre is rap music, but sometimes the lyrics are violent. Next month, I am going to go to a concert. The tickets are expensive but I think we will have a good time.

....

....

....

....

....

....

[12 marks]

4 Read this magazine article about a Spanish radio programme.

> Hay un nuevo programa de música en la radio española que se llama 'MúsicaZen'. En una entrevista, la presentadora, una mujer que trabaja en esta industria desde hace más de veinticinco años, charlaba con entusiasmo sobre el estilo que podemos esperar.
> — Tendrá muchos géneros de música, pero quiero que la gente pueda relajarse mientras escucha. ¡Será una experiencia totalmente única con poquísimos anuncios! Además vamos a charlar con músicos, cantantes y otras personas que trabajan en la industria musical. Creo que será muy interesante y original.

Which two statements are **true**? Write the letters in the boxes.

A	MúsicaZen is a long-running radio programme.
B	The programme will be presented by someone experienced.
C	MúsicaZen will specialise in one particular style of music.
D	There will be lots of interesting adverts on the programme.
E	Many different people will contribute to the programme.

[2 marks]

Score: ☐ **/29**

Section 4 — Free-Time Activities

Cinema

1   Translate this text into **Spanish**.

> I like going to the cinema. I saw four films last month. I like lots of genres, however my favourite films are horror films because they're exciting. My friends prefer romantic films, but I find them a bit boring. Next week, I will go to see a science fiction film with my brother. It will start at half past six.

....

....

....

....

....

....

....

[12 marks]

2   Listen to these people talking about their favourite films.
Answer the questions in **English**.

2 a   What type of film does Mariano like best?

....   *[1 mark]*

2 b   In the film that Mariano saw last, what has the man lost?

....   *[1 mark]*

2 c   What does Dounia think is the most important aspect of any film?

....   *[1 mark]*

2 d   Why does Dounia like cartoons?

....   *[1 mark]*

Score: [   ] / **16**

Section 4 — Free-Time Activities

TV

1 Translate this text into **Spanish**.

> I like watching television in the morning and after school. In the evening, I watch the news to learn about what is happening in the world. Last weekend, I watched too many gameshows, and I didn't have time to do my homework. Next weekend, I will only watch one programme.

....

....

....

....

....

....

[12 marks]

2 Some bloggers are talking on the Internet about their favourite television programmes. Read what they say and answer the questions in **English**.

Safa	Prefiero las telenovelas porque puedes seguir la historia de los personajes. Es como si fueran tus amigos de verdad.
Tomás	A mí, no me importa lo que veo en la televisión. Vería cualquier programa.
Carlos	Veo la televisión con poca frecuencia. Siempre hay cosas más interesantes que hacer y no quiero perder tiempo mirando tonterías en la televisión.
Neira	Si tuviera que elegir un género, diría que los programas policíacos son los que más me gustan. Sin embargo, es difícil esperar una semana para saber lo que va a pasar porque hay mucho suspense.

2 a Who likes watching television but doesn't have a favourite type of programme?

.... *[1 mark]*

2 b Who has a mainly negative opinion of television?

.... *[1 mark]*

2 c Why is it hard for Neira to wait for the next programme?

.... *[1 mark]*

Score: ☐ **/15**

 ☐ ☐ ☐

Section 4 — Free-Time Activities

Food

1 Listen to three people talking about different styles of food. Write **P** for a positive opinion, **N** for a negative opinion and **P+N** for a positive and negative opinion.

1 a Jamila

Italian food ☐   Chinese food ☐

[2 marks]

1 b Ramón

American food ☐   Japanese food ☐

[2 marks]

1 c Angélica

Spanish food ☐   Thai food ☐

[2 marks]

2 Read this magazine article about a new market and answer the questions in **English**.

> Sevilla huele mejor que nunca gracias a un mercado que acaba de abrir en el corazón de la ciudad. Yo fui a conocerlo...
>
> Cuando pasas por las callecitas del Mercado San Isidro, te encuentras frente a una fusión entre lo antiguo y lo moderno. Solo se ven productos tradicionales que llevan siglos formando parte de la dieta española, pero los vendedores aprovechan las tecnologías más avanzadas para transformarlos en platos innovadores y sorprendentes. Resulta casi imposible resistir los olores de queso, pescado, jamón y vino que te animan a comer.
>
> Aunque sea una experiencia inolvidable visitar el mercado, la comida no es barata y puedes vaciar tu monedero en un abrir y cerrar de ojos. Sin embargo, no hace falta comprar nada; se puede disfrutar del ambiente sin gastar un céntimo.

2 a What's special about the items you can buy at the market?

.... *[1 mark]*

2 b What's modern about the market?

.... *[1 mark]*

2 c What's the disadvantage of the market?

.... *[1 mark]*

Score: ☐ /9

Section 4 — Free-Time Activities

Eating Out

1 Escucha esta conversación entre un cliente y una camarera.
Contesta a las preguntas en **español**.

1 a ¿Qué tipo de bebida quiere el cliente? Da **dos** detalles.

.... *[2 marks]*

1 b ¿Qué plato recomendaría el cocinero?

.... *[1 mark]*

1 c ¿Qué pide el hombre por fin? Da **tres** detalles.

.... *[3 marks]*

1 d ¿Qué elige de postre?

.... *[1 mark]*

2 Translate this text into **English**.

> Ayer fuimos a un restaurante y lo pasamos bien. Para el primer plato, pedí una ensalada con aceitunas. Luego para el segundo plato, la camarera me recomendó atún con verduras, pero no me gustó porque el pescado estaba demasiado salado. Ya que no había comido mucho, pedí un helado enorme con chocolate y fresas y para terminar, un café con leche.

....

....

....

....

....

....

....

....

[9 marks]

Score: ☐ / **16**

Sport

 1 Translate this text into **Spanish**.

> My family likes watching sport on television. Generally we are not very sporty, but my brother used to play rugby. From time to time, I play tennis with my friends, or we go to the swimming pool. Next year, we will play hockey at school, but I would prefer to do adventure sports.

....

....

....

....

....

....

[12 marks]

2 Translate this text into **English**.

> — ¿Por qué no te gustaría hacer piragüismo? Es un deporte emocionante y divertido.
> — Me parece un deporte muy difícil y peligroso.
> — Es verdad que te puedes hacer daño. Un amigo mío se rompió el brazo hace un año.
> Si prefieres, podrías ir al polideportivo para jugar al baloncesto o al bádminton.

....

....

....

....

....

....

[9 marks]

Section 4 — Free-Time Activities

3 You see an advert for some summer jobs. Answer the questions in **English**.

Buscamos jóvenes para ayudarnos durante el verano:

Necesitamos **un/a socorrista**[1] para la piscina. Es necesario nadar muy bien, ser responsable y tener una cualificación adecuada para este puesto. Es importante saber cómo trabajar en grupo.

Necesitamos tres instructores para enseñar varios deportes como el baloncesto, la natación y el atletismo. Es esencial tener conocimientos del inglés.

Buscamos un/a camarero/a para ayudar en la cafetería del polideportivo. No es necesario practicar ningún deporte, pero es muy importante que la persona tenga una actitud profesional y experiencia laboral.

Llámanos en seguida al 98 978 0124

[1] a lifeguard

3 a For which position is it necessary to speak another language?

.... *[1 mark]*

3 b For which position is it **not** essential to be sporty?

.... *[1 mark]*

3 c Which position specifies that you must be good at working with other people?

.... *[1 mark]*

4 Escucha este diálogo entre Mireia, Rahim e Isabel.
Indica los deportes que les gusta ver en la televisión con (✓).

		el fútbol	el tenis	el rugby	el atletismo	la natación
4 a	Mireia					
4 b	Rahim					
4 c	Isabel					

[6 marks]

Score: ☐ / **30**

Customs and Festivals

1   Lee este texto sobre la Semana Santa y contesta a las preguntas en **español**.

> La Semana Santa es una semana muy tradicional ya que conmemora la muerte y la resurrección de Cristo. La fecha exacta cambia cada año. Para mucha gente, lo más importante es ver las procesiones que pasan por las calles. Las procesiones suelen ser solemnes pero también impresionantes, gracias a los pasos que llevan las figuras de Cristo y su madre. Pero, ¡cuidado si visitas España durante la Semana Santa! Habrá mucha gente por las calles, así que será más difícil hacer turismo.

1 a   ¿Qué pasa con la fecha de la Semana Santa?

.... *[1 mark]*

1 b   ¿Cómo son las procesiones? Da **dos** adjetivos.

.... *[2 marks]*

1 c   ¿Por qué será más complicado para los turistas durante las celebraciones?

.... *[1 mark]*

2   Durante una visita a México vas a un museo y haces una visita guiada. Escucha la información y escribe la letra apropiada en cada casilla.

A	diciembre	E	pantallas
B	izquierda	F	noviembre
C	seria	G	maquillaje
D	imágenes	H	derecha

2 a   En la pared, hay muchas   ☐   *[1 mark]*

2 b   Las fotos más recientes están a la   ☐   *[1 mark]*

2 c   Los mexicanos llevan   ☐   *[1 mark]*

2 d   La fiesta es divertida pero también es   ☐   *[1 mark]*

2 e   El evento se celebra a principios de   ☐   *[1 mark]*

3 Translate the following passage into **Spanish**.

> Here in Spain we have to wait until 6th January to receive our presents. When I was little I used to receive toys but now people give me money. Next year, there will be a party at our house, so we will have to get ready. We will eat traditional food and spend time with our family.

....

....

....

....

....

....

....

[12 marks]

4 Kieran has just stayed with a Spanish family for Christmas. He has emailed his exchange partner to thank him and to tell him what he thought of Christmas in Spain.

> Gracias por unos días tan fantásticos. Me lo he pasado fenomenal. Me gustaron mucho las preparaciones finales que hicisteis para la Navidad. Aunque nunca he conocido una Navidad sin Papá Noel, prefiero la idea de que los tres Reyes Magos traen regalos a los niños españoles. El aspecto religioso es más obvio y otra ventaja es que la fiesta dura más tiempo. Durante el tiempo que pasé en España, probé turrón, pero la verdad es que todavía no sé exactamente si me gusta o no. ¡Tendré que comer más! ¡Hasta pronto!

Which two statements are **true**? Write the letters in the boxes.

A	Kieran was fascinated by the Spanish Christmas preparations.
B	Father Christmas isn't important to Kieran's family.
C	Kieran likes the Spanish tradition of the Three Kings.
D	Kieran didn't have enough time to try nougat.
E	Kieran loved nougat.

[2 marks]

Section 5 — Customs and Festivals

5 You overhear Clara and Tariq talking about the festivals they celebrate. Listen to what they say and write the correct letter in each box.

5 a What does Clara say about Chinese New Year celebrations?

A	She prefers them to the Spanish New Year festivities.
B	She likes Chinese New Year and Spanish New Year equally.
C	She thinks the processions last too long.

[1 mark]

5 b What does Clara say about the tradition of eating twelve grapes at midnight?

A	It's surprisingly difficult to do.
B	She thinks it's just a silly tradition.
C	People of all ages can take part.

[1 mark]

5 c According to Tariq, what is the best part of the Eid al-Fitr festivities?

A	He can spend lots of time with his relatives.
B	He can eat food that he doesn't normally eat.
C	He can stop fasting during the day.

[1 mark]

6 Translate the following passage into **Spanish**.

> Yesterday we learned about some Spanish festivals. El Día de los Inocentes takes place on 28th December in Spain. It is a religious event but it's fun too. I would love to go to Buñol with my friends to take part in the tomato festival. I think it would be really interesting but I don't have enough money to go this year.

....

....

....

....

....

....

....

[12 marks]

Score: _____ /**38**

Section 5 — Customs and Festivals

Talking About Where You Live

1 Read this small advert from a Spanish newspaper, then complete the text using the words from the list. Write the correct letter in each box.

Yo [ ] buscando una compañera porque [ ] decidido [ ] mi piso.

Hay [ ] central y el [ ] de un patio. Está en el [ ] de la ciudad,

cerca del [ ] . El [ ] cuesta €250 por mes.

A	he	F	uso	K	centro
B	calefacción	G	hay	L	compartir
C	ático	H	césped	M	vendo
D	alquiler	I	estabas	N	comisaría
E	habéis	J	ayuntamiento	O	estoy

[8 marks]

2 Escucha esta entrevista. Contesta a las preguntas en **español**.

2 a Según Ana, ¿qué es lo mejor de su ciudad?

.... *[1 mark]*

2 b ¿Qué se puede hacer en la ciudad? Completa las **tres** frases siguientes.

1. Se puede ....

2. Se puede ....

3. Se puede .... *[3 marks]*

2 c Según Pablo, ¿qué es lo malo de su aldea?

.... *[1 mark]*

3 Translate this text into **Spanish**.

> I live in the countryside. It's very beautiful. When I was young, I used to play in the forest every day after school. In our village there is a library, but soon there will be a sports centre too. My friends would prefer to live in the city but I think it's dirty. My village is safe and peaceful.

....

....

....

....

....

....

....

[12 marks]

4 Lee este anuncio y decide si las siguientes frases son **verdaderas** (V) o **falsas** (F).

> Cinco razones para venir a vivir a los Apartamentos Buena Vista:
>
> 1. El edificio está hecho con materiales de la mejor calidad.
>
> 2. Todos los apartamentos tienen aparcamiento seguro.
>
> 3. Los pisos se encuentran en las afueras de la ciudad, cerca de unas playas maravillosas.
>
> 4. El centro de la ciudad está a unos quince minutos a pie.
>
> 5. Hay una peluquería, una biblioteca, varias pastelerías y mucho más alrededor de los apartamentos.
>
>
>
> Ven a visitarnos pronto... ¡te ofrecemos un descuento fenomenal!

4 a	Aquí sería un sitio seguro si tuvieras un coche caro.	
4 b	El viaje de los apartamentos al centro dura 15 minutos en coche.	
4 c	Hay tiendas cerca del edificio.	
4 d	Los pisos están en oferta.	

[4 marks]

Score: ..../**29**

Section 6 — Where You Live

The Home

1 Translate the following text into **English**.

> Vivimos al lado de una familia muy simpática. Tenemos una casa adosada grande con cuatro dormitorios. Nuestro jardín es más bonito que el jardín de nuestros vecinos, pero ellos tienen una piscina. Mi dormitorio está en la segunda planta y tiene paredes verdes y una cama pequeña. Mi habitación preferida es el salón porque es donde me relajo.

....

....

....

....

....

....

[9 marks]

2 Listen to the following conversation between Emilia and Santiago. Decide which **three** statements are true for each person and write the letters in the boxes.

2 a Choose the three statements that are true for **Emilia**:

A	She lives with her parents.	D	She'd like a smaller house.
B	She lives in a flat.	E	She lives in a safe area.
C	She lives in the city centre.	F	It's modern inside.

☐ ☐ ☐

[3 marks]

2 b Choose the three statements that are true for **Santiago**:

A	He owns his flat.	D	He lives on the fifth floor.
B	He lives with his cousin.	E	The flat has a washing machine.
C	He shares a bathroom.	F	He likes living there.

☐ ☐ ☐

[3 marks]

Score: ☐ /15

 ☐ ☐ ☺ ☐

Section 6 — Where You Live

What You Do at Home

 1 Translate this text into **Spanish**.

> I have to help at home because my mother is very strict. She gives me pocket
> money, but she forgot to give it to me last week. I washed up and my sister
> prepared the evening meal. Next week I will do the vacuuming and my sister
> will do the ironing. I don't mind laying the table, but I hate taking out the rubbish!

....

....

....

....

....

[12 marks]

2 Read the following diary extract and translate it into **English**.

> Ayer, estaba en casa y tuve que hacer muchas tareas domésticas. Me levanté a las siete, me
> lavé la cara y me vestí. Primero, hice la cama y arreglé mi dormitorio. Después de almorzar,
> quité la mesa y luego, paseé al perro y saqué la basura. Finalmente, corté el césped. Después
> de hacer tantas cosas, me acosté a las ocho y media. ¡Estaba cansadísima!

....

....

....

....

....

....

[9 marks]

3 Escucha las opiniones de Manuela y Juana y contesta a las preguntas en **español**.

3 a ¿Qué hace Juana para ayudar en casa?

.... *[1 mark]*

3 b Manuela tiene que hacer mucho en casa. ¿Por qué?

.... *[1 mark]*

3 c ¿Qué hace Manuela para ayudar en casa durante la semana? Da **dos** detalles.

.... *[2 marks]*

3 d ¿Qué hace Manuela los fines de semana?

.... *[1 mark]*

4 Read this section of an email Rodrigo wrote to Asma and answer the questions in **English**.

> Es importante ayudar en casa porque es buena práctica para la vida. Si mis padres no hubieran pedido que les ayudara con las tareas domésticas, no sabría cómo hacerlas. Cuando tenga mi propia casa, todo parecerá más fácil y seguro que se lo agradeceré.
>
> Mis amigos no hacen nada en casa y, como resultado, son muy perezosos. Me gusta cocinar para mi familia porque me deja ser creativo con la comida. También, lavo los platos diariamente, y los fines de semana, paso la aspiradora y hago la compra.

4 a According to Rodrigo, why is it important to do chores?

.... *[1 mark]*

4 b Why will Rodrigo feel grateful towards his parents in the future?

.... *[1 mark]*

4 c What do Rodrigo's friends do to help out at home?

.... *[1 mark]*

4 d How many times a week does he wash the dishes?

.... *[1 mark]*

4 e List **two** things that Rodrigo does every weekend.

.... *[2 marks]*

Score: [ ] **/32**

Section 6 — Where You Live

Clothes Shopping

1　Listen to the conversation and answer the questions below in **English**.

1 a　What did the lady want to buy and for whom? .... *[2 marks]*

1 b　Which two colours are available? .... *[2 marks]*

1 c　What discount was offered? .... *[1 mark]*

1 d　How does the lady decide to pay? .... *[1 mark]*

1 e　What does the sales assistant ask the lady? ....

.... *[1 mark]*

2　Translate the following text into **Spanish**.

> I was in a department store a few days ago. I saw some beautiful shoes, but they were too small for me. Unfortunately, when I asked the sales assistant, she told me that they were the only ones she had. I'm going to go to another shop tomorrow because I can't live without them.

....

....

....

....

....

....

....

....

[12 marks]

3 Translate the following conversation into **English**.

Vendedor:	Hola, ¿en qué puedo servirle, Señor?
Cliente:	Quisiera probarme la camisa azul que vi aquí ayer. Me gustó mucho.
Vendedor:	Bien, ¿qué talla necesita usted?
Cliente:	Cuarenta y dos, por favor.
Vendedor:	Vale. Se la traeré en seguida.
Cliente:	Gracias. ¿Cuánto cuesta?
Vendedor:	Cuesta treinta euros. Se puede pagar en efectivo o con tarjeta de crédito.

....

....

....

....

....

....

....

....

....

[9 marks]

4 Listen to the following conversation between a sales assistant and a customer, and then answer the questions in **English**.

4 a What had the customer bought? .... *[1 mark]*

4 b What did the customer want and why?

.... *[2 marks]*

4 c What does the sales assistant say about refunds and exchanges?

.... *[2 marks]*

Score: ☐ **/33**

Section 6 — Where You Live

More Shopping

1 Translate this text into **Spanish**.

> Yesterday I went to the supermarket to buy some things for my father. I bought half a kilo of oranges, five hundred grams of grapes, a box of apples, ten tins of tuna, a piece of cheese and a bottle of peach juice. Tomorrow I will have to go again because we don't have any bread.

....

....

....

....

....

....

[12 marks]

2 Translate the following text into **English**.

> Hoy tengo una lista larguísima de cosas que hacer. Primero, tengo que ir a los grandes almacenes para devolver unos calcetines negros. Mi abuela necesita un abrigo nuevo, pero lo voy a comprar en Internet y aprovechar el servicio de reparto a domicilio. Finalmente, tengo que llevar una docena de pasteles a la casa de mis tíos. ¡Debería empezar ahora mismo!

....

....

....

....

....

....

[9 marks]

Score: ___ /21

Giving and Asking for Directions

1 Read this extract from Paco's diary, then tick the boxes and justify your answers.

> Ayer estaba nervioso porque iba a conocer a los padres de mi novia por primera vez y quise causarles una buena impresión. Salí de casa temprano, pero debido a un accidente en la carretera, tuve que dejar el coche en las afueras de su pueblo e ir a pie al centro. Sin embargo, me perdí, y no sabía dónde estaba. Giré a la izquierda y luego a la derecha, pero todo fue en vano, y no pude encontrar la calle Turia. De repente, tuve una idea. Llamé a la puerta de una de las casas y pregunté a la mujer que abrió cómo podría llegar a mi destino. Ella dijo que estaba muy cerca y que solo tendría que tomar una calle a la izquierda entre una carnicería y una papelería y que encontraría la calle Turia al final de esa calle.
> Llegué a la casa de mi novia corriendo, sudando y con la cara rojísima.
> — ¡Hola! — dijo ella. Mis padres todavía no están. Es que hay un atasco en la carretera...

1 a Was it Paco's fault that he was late? Yes ☐ No ☐

Reason for your answer: .... *[1 mark]*

1 b Was he close to his destination when he asked for help? Yes ☐ No ☐

Reason for your answer: .... *[1 mark]*

1 c Did Paco arrive before his girlfriend's parents? Yes ☐ No ☐

Reason for your answer: .... *[1 mark]*

2 Rosa está hablando con una mujer en la calle. Contesta a las preguntas en **español**.

2 a ¿Por qué está buscando Rosa el polideportivo?

.... *[1 mark]*

2 b ¿Entre qué edificios está el polideportivo?

.... *[2 marks]*

2 c ¿Dónde está la cafetería? Da **dos** detalles.

.... *[2 marks]*

Score: ☐ /**8**

 ☐   ☐   ☐

Weather

1 Translate the following text into **Spanish**.

> Today the weather is good. Last week, there was a storm and it rained for three days. The worst thing was that I couldn't go out with my friends. I saw the weather forecast last night and they said that tomorrow it will be sunny and windy here in the north.

....

....

....

....

....

....

[12 marks]

2 Read the following weather report for Uruguay and write **two** points about the weather for each part of the country in **English**.

> ¡Vamos a experimentar muchos cambios en el tiempo hoy en Uruguay! La temperatura bajará con riesgo de lluvia en el norte del país. En el sur estará despejado, sin embargo hará viento todo el día. En el este del país estará húmedo por la mañana y habrá chubascos también. En el oeste lleva un abrigo cuando salgas de casa porque el día empezará con truenos y relámpagos. Afortunadamente, al mediodía hará sol. ¡Hasta mañana!

	Weather	
North		
South		
East		
West		

[2 marks]

[2 marks]

[2 marks]

[2 marks]

Section 6 — Where You Live

Score: ☐ /20

Environmental Problems

1 A radio show is interviewing people about environmental issues. For each person, decide which problem they are most worried about and write the correct letter on the dotted line.

1 a Briana ....

1 b Alberto ....

1 c Raquel ....

A	Rubbish
B	Deforestation
C	Flooding
D	Climate change
E	Drought

[3 marks]

2 Unos jóvenes han escrito sobre el desperdicio de agua y sus efectos.
Lee lo que dicen y contesta a las preguntas en **español**.

David	El agua es uno de los recursos más importantes que tenemos, ya que sin ella, los cultivos mueren. Si no hay cultivos, la gente no puede comer. Debemos compartir el agua entre todos para evitar una crisis mundial.
Leire	Aquí en los países más avanzados, malgastamos agua sin pensar, por ejemplo cuando nos bañamos en vez de ducharnos. Además, usamos mucha agua para cocinar, para limpiar nuestras casas y para lavar nuestros coches.
Ryan	Desde mi punto de vista, la falta de agua es uno de los efectos más preocupantes del cambio climático. Debido al efecto invernadero, hay más sequías que en el pasado. No debemos malgastar el agua cuando hay tanta gente que tiene que vivir sin ella. Es un problema mundial y tenemos que solucionarlo juntos.

2 a ¿Quién dice que gastamos mucha agua en las tareas domésticas?

.... *[1 mark]*

2 b ¿Quién habla sobre las causas medioambientales de la falta de agua?

.... *[1 mark]*

2 c ¿Quién menciona el hambre causada por la falta de agua?

.... *[1 mark]*

44

3 Translate the following passage into **Spanish**.

In my opinion, there are many problems with the environment. Due to the greenhouse effect, temperatures have increased a lot. My grandmother told me that when she was younger, it used to snow every winter, but it doesn't snow much now. In the future, I think there will be more droughts.

....

....

....

....

....

....

[12 marks]

4 A Spanish town council has had a meeting to decide on its priorities for the next year.

Las calles: La cantidad de basura en las calles en los últimos meses ha aumentado. Queremos que la gente sea más responsable en cuanto a la basura, así que vamos a escribir a todos los habitantes del pueblo para animarles a tirar su basura de manera apropiada.

Las playas: Este verano hemos tenido varios problemas con la contaminación de las playas a causa de las mareas negras. Queremos que un grupo de personas se encargue de salvar los animales afectados y limpiar las playas.

Los coches: Ya que los coches producen gases de efecto invernadero y contribuyen al cambio climático, vamos a gastar más dinero en transporte público para que la gente no tenga que viajar en coche.

Which two statements are **true**? Write the letters in the boxes.

A	The beaches have been polluted by tourists during the summer.
B	The council will spend more money on helping to reduce greenhouse gas emissions.
C	Luckily, the pollution on the beaches hasn't affected any animals.
D	Lately, the amount of rubbish on the street has increased.
E	To reduce the number of car journeys, people will be told to walk more.

[2 marks]

Score: ☐ /**20**

Section 7 — Social and Global Issues   😐 ☐   🙂 ☐   😉 ☐

Problems in Society

1   A local politician hoping to be elected soon is giving a television interview. Listen to what she says and answer the questions in **English**.

1 a   What is the first problem that the politician mentions?

....   *[1 mark]*

1 b   What can't some people living in poverty earn enough to do? Give **two** details.

....   *[2 marks]*

1 c   According to the politician, what does social inequality cause?

....   *[1 mark]*

1 d   What is the last problem that the politician mentions?

....   *[1 mark]*

2   Translate the following passage into **Spanish**.

> I think unemployment is a big problem in my town. A year ago, my mother lost her
> job and it was very difficult to find another one. The bad thing about unemployment is
> that it contributes to social inequality. I would love to change the situation in my town.

....

....

....

....

....

....

....

[12 marks]

3 Translate the following passage into **English**.

> — ¡Espero que no vayas a salir con esos chicos! Creo que son muy maleducados, Pedro.
> — No te preocupes, no voy a salir con ellos. Ahora sé que son violentos. El otro día, intimidaron a una mujer en la calle. Fueron muy agresivos y ella creyó que le iban a hacer daño. Eso no me gustó para nada y ahora no somos amigos.

....

....

....

....

....

....

....

[9 marks]

4 Mariam ha grabado un podcast sobre sus experiencias.
Escucha lo que dice y escribe la letra correcta en cada casilla.

4 a Mariam y su familia han venido a España debido a

A	una guerra.
B	una sequía.
C	una inundación.

[1 mark]

4 b ¿Cómo es la vida para las mujeres en el país en que nació?

A	Difícil, porque hay mucha violencia.
B	Difícil, porque no tienen muchos derechos.
C	La vida es más difícil para los hombres.

[1 mark]

4 c ¿Cómo es la vida para Mariam hoy?

A	Difícil, porque ha sido víctima de prejuicio.
B	Hay ventajas y desventajas de la vida en España.
C	Mejor, porque tiene más amigos que en su país de origen.

[1 mark]

Score: ☐ /29

Contributing to Society

 WRITING

1 Translate the following passage into **Spanish**.

> At home, we recycle cardboard and we reuse plastic bags. When I was little, I didn't like to recycle but now I think it's important to protect the environment. I always turn off the lights and the television. In the future, I think we will use more renewable energy.

....

....

....

....

....

....

[12 marks]

READING

2 Translate the following passage into **English**.

> ¡Hola! Soy Nuria y trabajo para una organización benéfica aquí en Villarrobledo. A causa de la crisis económica aquí, hay muchas personas que están en paro. Les ayudamos a encontrar ropa, libros y juguetes para los niños y les damos información sobre los empleos que hay. Es importante que hagamos algo para ayudar a otra gente.

....

....

....

....

....

....

[9 marks]

Section 7 — Social and Global Issues

48

3 Dos jóvenes han escrito sobre lo que hacen para contribuir a la sociedad. Lee los textos e identifica la persona correcta. Escribe **C** (Carlos), **E** (Eva) o **C+E** (Carlos y Eva).

Soy Carlos. A veces, ayudo a una organización que hace campañas para informar a la gente sobre el medio ambiente. Hablamos con expertos e intentamos encontrar soluciones a los problemas que tenemos. Por ejemplo, el año pasado, hicimos una presentación sobre el reciclaje. Creo que tenemos que cambiar nuestros hábitos antes de que sea demasiado tarde.

Soy Eva. Me gusta cantar, así que voy a una residencia de ancianos para entretener a los que viven allí. Muchos de ellos no tienen a nadie con quien poder hablar, lo que me parece triste. Yo prefiero concentrarme en los problemas sociales, porque creo que son más preocupantes que los problemas medioambientales. Deberíamos hacer más para mejorar la vida de la gente mayor.

3 a Cree que el medio ambiente no es el problema más importante. *[1 mark]*

3 b Cree que hay que pensar en el futuro de la Tierra. *[1 mark]*

3 c Anima a otra gente a buscar soluciones. *[1 mark]*

3 d Piensa que la gente debería hacer más para solucionar el problema. *[1 mark]*

4 Listen to the owners of two companies talking about the environment. For each owner, write how things are done now, and what they are going to change in the future.

		Now	Future
4 a	ComidaYes		
4 b	Dulcísimo		

[4 marks]

Score: /29

Section 7 — Social and Global Issues

Global Events

 1 Lee el blog de Pavel.

> Recientemente participé en los Juegos Paralímpicos. Fue una experiencia inolvidable, sobre todo gracias a los espectadores que aplaudían cuando entramos en el estadio. Lo que más me encanta de los eventos así es la idea de influenciar a los jóvenes. Es decepcionante ver a tantos jóvenes que no hacen deporte nunca y quiero cambiar esta situación. Sé que los eventos así cuestan mucho, sobre todo para el país que acoge los Juegos, pero creo que vale la pena apoyar eventos que facilitan la cooperación internacional.

Completa cada frase con una palabra o expresión del recuadro de abajo.
No necesitas todas las palabras.

> inactiva   aburrida   una pérdida de tiempo   acoger
>
> bienvenidos   buenas oportunidades   participar

1 a Pavel cree que mucha gente joven es .... *[1 mark]*

1 b Según Pavel, una desventaja de .... un evento es el coste. *[1 mark]*

1 c Pavel piensa que eventos internacionales son .... *[1 mark]*

 2 Translate the following passage into **English**.

> Hace unos meses, mi amigo Max empezó una campaña global porque quiere ayudar a las comunidades en pobreza. Le dije que sería una buena idea aprovechar las redes sociales como parte de su campaña. Voy a ayudarle a crear una página web también.

....

....

....

....

....

....

[9 marks]

Score: ☐ /**12**

Section 7 — Social and Global Issues

Healthy Living

1 Escuchas esta entrevista con Julia en un programa sobre comida saludable. Escribe la letra correcta en cada casilla.

1 a ¿Qué animó a Julia a interesarse por el desayuno?

A	Ella había dejado de desayunar.
B	Su hija mayor tenía miedo de engordarse.
C	Su hija menor no quería consumir tanta comida.

[1 mark]

1 b Según los expertos, hay una relación entre...

A	la gente que come mucho y la gente que hace deporte.
B	los que desayunan y los que disfrutan de buena salud.
C	la gente que desayuna y la gente que pesa más.

[1 mark]

1 c ¿Cuál es la desventaja de desayunar cereales? Contesta en **español**.

.... *[1 mark]*

2 Translate the following text into **Spanish**.

> I think that it is important to keep fit. When I was young, I used to be very lazy. I never did exercise and I ate junk food. Now I run or swim at least three times a week and I feel better. However, I still need to eat a more balanced diet. I will try to eat five pieces of fruit a day and I will drink more water.

....

....

....

....

....

....

....

....

[12 marks]

Score: .... **/15**

Unhealthy Living

1 Translate this text into **English**.

> — ¿Conoce usted a alguna persona que tome drogas?
> — No, pero mi madre es médica y ha trabajado mucho con la gente drogadicta.
> — Entonces, ¿qué les dijo su madre sobre las drogas?
> — Les dijo que no vale la pena tomar drogas porque te hacen sentir fatal.
>   Además, cuestan muchísimo dinero e incluso te pueden matar.
> — Es verdad. No tomaría drogas nunca.

....

....

....

....

....

....

....

....

[9 marks]

2 Listen to a reporter interviewing Tom about his attitude to alcohol and smoking, and then complete the sentences that follow. You will not need all the answers.

2 a	Tom would like his friends to...	
2 b	To reduce alcohol consumption, he thinks the government should...	
2 c	Tom hates...	
2 d	It really worries him...	

A	give up alcohol.	E	the smell of smoke.
B	drink less.	F	that you can't smoke in bars.
C	ban the advertising of alcohol.	G	that smoking could affect his girlfriend's health.
D	increase taxes on alcohol.	H	that he might get ill because of passive smoking.

[4 marks]

Score: ▢ **/ 13**

 ▢   ▢   ☺ ▢

Section 8 — Lifestyle

Illnesses

1 Translate the following extract into **Spanish**.

> I went to the doctor last week because I had a headache, but she said that I should go to the pharmacy. I felt much better on Wednesday. However, today I'm very tired and I have a pain in my back. I haven't gone to work because I need to rest. If I don't feel better the day after tomorrow, I will go back to the doctor.

....

....

....

....

....

....

[12 marks]

2 Translate the following conversation into **English**.

> — Hola, señora. ¿En qué puedo ayudarle hoy?
> — Me encuentro mal. Me duele mucho la garganta y tengo dolor de estómago.
> — Vamos a ver... Recomiendo que intente descansar y tome esta medicina. Voy a darle una receta. Aparte de esto, no puedo hacer nada más. Si quiere mejorarse, hay que relajarse.
> — Bueno, gracias por su ayuda, doctora. Adiós.

....

....

....

....

....

....

....

[9 marks]

Score: ☐ /**21**

☹ ☐   ☺ ☐   ☺ ☐

Where to Go

1 Translate the following text into **Spanish**.

> My favourite country is Wales because there are lots of mountains and Welsh people are very nice. Another advantage is that you can visit some towns by train. I would love to go to Conwy in the future. However, the last time we went to Wales, it rained for the entire week!

....

....

....

....

....

....

[12 marks]

2 Jai is on holiday. Read his postcard and answer the questions in **English**.

> Ya sé que está un poco pasado de moda mandar postales, pero no hemos tenido acceso a Internet y quería ponerte al día con nuestro viaje...
>
> Acabamos de visitar el sur de Francia después de unos días en Italia. Hasta ahora, mi país preferido es Alemania, aunque la cultura en Italia es muy interesante. Aquí en Barcelona hace calor. Ayer pasamos unas siete horas en la playa. Nos bronceamos e hicimos deportes acuáticos también.
>
> Mañana, empezaremos el viaje a Grecia. Hemos alquilado un coche con un grupo de jóvenes irlandeses. Espero que sean tan divertidos como los mexicanos a quienes conocimos en el hotel hace unos días.

2 a Which part of France did he visit? .... *[1 mark]*

2 b What was his favourite country? .... *[1 mark]*

2 c What did he do in Barcelona? Give **two** details.

    1. ....

    2. .... *[2 marks]*

2 d Who is he going to travel to Greece with? .... *[1 mark]*

Score: ☐ /**17**

54

Accommodation

1 Escucha a unos clientes que están llamando al Hotel Cristal. ¿De qué se tratan las llamadas? Elige **tres** frases de la tabla que resumen las llamadas de los dos clientes.

1 a

A	Reservar una habitación doble
B	Una vista
C	La dirección
D	La piscina
E	El restaurante

☐ ☐ ☐

1 b

F	Media pensión
G	Pensión completa
H	La seguridad
I	El aparcamiento
J	Reservar una habitación individual

☐ ☐ ☐

[6 marks]

2 Translate the following text into **Spanish**.

> We normally stay in a youth hostel because it doesn't cost a lot of money. We stayed in a youth hostel in France last year, and we met people from Brazil and Australia. The bad thing about staying in a youth hostel is that we have to share a bathroom, and sometimes there's no air-conditioning. Next year we will stay on a campsite.

....

....

....

....

....

....

....

[12 marks]

Score: ☐ **/18**

Section 9 — Travel and Tourism

Getting Ready to Go

1 Translate the following text into **English**.

> Suelo hacer mi maleta la semana antes de viajar. Lo más importante es llevar el pasaporte y la crema solar si vas a un país donde hace sol. Normalmente, mi madre pone todos los pasaportes y su carnet de conducir en su bolso para que no perdamos nada. Este verano, mis padres reservarán un taxi para llevarnos al aeropuerto. En el avión, escucharé música y mi padre leerá su guía.

....

....

....

....

....

....

....

....

[9 marks]

2 Listen to this conversation between a travel agent and a customer, then answer the questions below in **English**.

2 a When do they want to go on holiday? .... *[1 mark]*

2 b Why does she choose a nearby country? ....

.... *[1 mark]*

2 c What does her husband like to do on holiday? .... *[1 mark]*

2 d Where does the travel agent recommend they go? .... *[1 mark]*

2 e How much would the holiday cost per person? .... *[1 mark]*

Score: [ ] / 14

Section 9 — Travel and Tourism

How to Get There

1 Translate the following text into **Spanish**.

> If you want to go to lots of cities in Spain, it's a good idea to go by bus because it's cheap and comfortable. Also, you'll be able to meet new people during the journey. Another option is to travel by train or aeroplane as it is usually faster. When I visited small towns, it was easier to rent a car and drive through the countryside.

....

....

....

....

....

[12 marks]

2 Translate the following text into **English**.

> El viaje más estresante de mi vida fue el año pasado. Tuvimos que ir al aeropuerto en autobús, pero desafortunadamente, había un atasco en la autopista, así que llegamos bastante tarde. Luego nos dijeron que el vuelo había sido cancelado debido a la nieve y que tendríamos que esperar unas siete u ocho horas. ¡Qué horroroso!

....

....

....

....

....

....

[9 marks]

Score: ⬚ /21

Section 9 — Travel and Tourism

What to Do

 1 Lee este blog sobre las vacaciones.

Alberto	Ya que no tengo suficiente dinero, no puedo irme de vacaciones este año. Sin embargo, intentaré salir con mis amigos e ir a salas de fiesta para divertirme.	**Carmen**	Desafortunadamente, no puedo irme de vacaciones largas este verano porque tengo que trabajar. A pesar de esto, voy a descansar un poquito — quizás pasaré unos días en Edimburgo. ¡Me encanta el castillo!
José	Odio relajarme durante el verano. Prefiero trabajar. Además, ya que trabajo en el verano, puedo dejar de trabajar casi todo el mes de diciembre. Voy a ir a Francia para esquiar.	**Marisa**	No vamos al extranjero este verano. De hecho, no tengo ganas de viajar dado que el año que viene iré a los Estados Unidos, a los parques temáticos. Iré con mi novio y seguro que lo pasaremos fenomenal.

A	Tengo planes para el año que viene.	C	Las vacaciones son caras.
B	Quiero relajarme.	D	Prefiero irme de vacaciones en invierno.

Elige el resumen correcto de la tabla. Escribe una letra para cada persona.

1 a Alberto ....   **1 c** Carmen ....

1 b José ....   **1 d** Marisa ....   *[4 marks]*

2 Escucha esta conversación y contesta a las preguntas en **español**.

2 a ¿Qué opina Inaya sobre estas actividades? Escribe **P** si es positivo o **N** si es negativo.

Visitar monumentos históricos	
Hacer deportes acuáticos	
Leer libros	

[3 marks]

2 b ¿Cuáles son las dos actividades que a Loren le gusta hacer? Da **dos** detalles.

....

.... *[2 marks]*

Score: ☐ /**9**

Section 9 — Travel and Tourism

Practical Stuff

1   Read about Luisa's experiences on holiday and then answer the questions in **English**.

> Estábamos de vacaciones en Madrid cuando noté que alguien me había robado el móvil. Tuve que ir a la comisaría pero como no podía describir a la persona que me lo había robado, fue muy difícil. Por suerte, el móvil estaba asegurado, así que fui a una tienda de móviles para comprarme uno nuevo. Lo peor fue que tuve que cambiar mi número de contacto y ponerme en contacto con mis amigos para que me dieran sus números otra vez. Luego tuve que mandar la factura a la compañía de seguros. La situación fue muy estresante, pero por fin se ha arreglado.

1 a   What difficulty did Luisa have in the police station?

.... *[1 mark]*

1 b   What was fortunate about Luisa's situation?

.... *[1 mark]*

1 c   Why did Luisa have to contact her friends?

.... *[1 mark]*

2   Translate the following passage into **English**.

> Ayer mi amigo tuvo un accidente. Estaba conduciendo por una calle cuando alguien abrió la puerta de un coche que estaba aparcado en la acera. Chocó contra la puerta, pero por lo menos la persona que la abrió no había salido del coche. Todavía está muy preocupado por el incidente, pero mañana va a llevar el coche al garaje para que puedan repararlo.

....

....

....

....

....

....

[9 marks]

Score: ☐ **/12**

Talking About Holidays

1 Translate the following text into **Spanish**.

> In spring, I will go to Canada with my family. We'll start our journey in the east, we will rent a car and we will travel to the west. We will stay in hotels and sometimes we'll go camping. I would like to go on lots of excursions as they're good opportunities to take photos.

....

....

....

....

....

[12 marks]

2 Read Andrea's review of her recent school trip and answer the questions in **English**.

> Mis compañeros de clase y yo acabamos de visitar el centro Campos Verdes y puedo decir que ha sido una experiencia inolvidable. Hemos hecho una multitud de actividades que no habríamos podido hacer de otro modo. Un día hicimos un paseo a caballo y casi me morí de risa porque mi caballo no quiso salir de la granja y se quedó inmóvil en medio del camino. Para mí, lo mejor de este tipo de vacaciones es que hay una gran variedad de actividades y puedes elegir lo que quieres hacer. Cuando vas de vacaciones con tus amigos, suele haber por lo menos una pelea que tiene que ver con la ducha o con el ruido que una persona hace cuando los otros quieren dormirse. Esta vez, sorprendentemente, no hubo ni una disputa, los profesores no tuvieron que salir de su sala privada para atendernos, y todos siguen siendo amigos. ¡Ha sido un verdadero éxito!

2 a How did Andrea feel about her horse-riding experience?

.... *[1 mark]*

2 b What does Andrea think is the main advantage of an activity holiday?

.... *[1 mark]*

2 c Why might the teachers have been pleased with the students? Give **two** details.

.... *[2 marks]*

Score: [   ] / **16**

Section 9 — Travel and Tourism

School Subjects

1 Listen to this conversation between Paco and his teacher. Answer the questions in **English**.

1 a Which subjects will Paco definitely study for his GCSEs? Give **three** details.

.... *[3 marks]*

1 b What does Paco's teacher tell him to do and why?

.... *[2 marks]*

1 c What does Paco think of history?

.... *[1 mark]*

2 Lee las opiniones de Nikita en cuanto a las asignaturas que estudia. Para cada asignatura, indica si tiene una opinión positiva (**P**), negativa (**N**) o positiva y negativa (**P+N**).

> A pesar de que me gusta leer, el inglés es una asignatura que me aburre bastante. Últimamente el profesor ha elegido unas novelas malísimas, lo que me ha fastidiado mucho.
>
> Según mi hermano, el dibujo es una pérdida de tiempo, pero yo no estoy de acuerdo. Es importante hacer algo creativo de vez en cuando.
>
> Me encanta cocinar, pero no me gusta la cocina como asignatura porque los profesores son estrictos y no te dejan cocinar lo que quieres.
>
> Por una parte, no me gusta estudiar las lenguas porque las encuentro difíciles. Por otra parte, reconozco que es útil hablar otro idioma, sobre todo cuando vas de vacaciones y quieres comprar cosas.

2 a el inglés ☐ *[1 mark]*

2 b el dibujo ☐ *[1 mark]*

2 c la cocina ☐ *[1 mark]*

2 d las lenguas ☐ *[1 mark]*

Score: ☐ /**10**

School Routine

1 Translate the following passage into **English**.

> Las clases empiezan a las nueve menos diez, pero prefiero estar en el colegio un poco más temprano para hablar con mis amigos. Tenemos seis clases por día y tenemos una hora para almorzar. Las clases terminan a las cuatro menos veinte. Creo que sería mejor tener menos tiempo para el almuerzo y volver a casa más temprano, pero claro, ¡no puedo cambiar el horario!

....

....

....

....

....

....

[9 marks]

2 Miguel y Alana están hablando sobre las diferencias entre sus rutinas escolares. Escucha la conversación y escribe la letra correcta en cada casilla.

2 a ¿Cuántas clases hay por día en el colegio español?

A	Hay cinco clases por día.
B	Hay seis clases por día.
C	Hay siete clases por día.

[1 mark]

2 b ¿Qué hacen los amigos de Miguel durante el almuerzo?

A	Juegan al fútbol.
B	Almuerzan en la cantina.
C	Vuelven a casa.

[1 mark]

2 c ¿Cuándo empiezan las clases en el colegio irlandés?

A	Empiezan antes de las clases en el colegio español.
B	Empiezan después de las clases en el colegio español.
C	Empiezan a la misma hora que las clases en el colegio español.

[1 mark]

Score: /**12**

   Section 10 — Current and Future Study and Employment

School Life

1 Translate the following passage into **Spanish**.

> I go to a mixed school. There are about nine hundred pupils here. My school is far away from my house, so I have to catch the bus. Before, I used to go to a religious school. I prefer this school because I have more friends, but in an ideal world, we wouldn't have to wear a uniform.

....

....

....

....

....

....

[12 marks]

2 Translate the following passage into **English**.

> Mi colegio tiene unas instalaciones muy modernas. Hay pizarras interactivas en las aulas y todo está muy limpio y nuevo. Hay talleres, laboratorios y un campo de deportes. Además, acaban de construir unos nuevos vestuarios porque los antiguos estaban sucios y olían muy mal.

....

....

....

....

....

....

[9 marks]

Score: ☐ /21

Section 10 — Current and Future Study and Employment

School Pressures

1 Translate the following passage into **Spanish**.

> I like my school but sometimes it's stressful. Last year the teachers didn't give us much homework, but now we have more. There's a lot of pressure because my parents say that if I don't pass my exams and get good marks, I won't be able to get a good job in the future.

....

....

....

....

....

....

[12 marks]

2 Nuria, Syed and Lucía are on the school council and are discussing the biggest problems in their school. Listen to their points of view and answer the questions in **English**.

2 a What does Nuria suggest to help the victims of bullying?

.... *[1 mark]*

2 b Give an example of a rule that Syed finds unfair.

.... *[1 mark]*

2 c How much homework does Lucía think is reasonable?

.... *[1 mark]*

2 d Give **two** things that Lucía says would happen if students had less homework.

1. ....

2. .... *[2 marks]*

Score: ☐ /17

School Events

1 Lee este artículo sobre los eventos en el colegio. Pon una cruz en la casilla correcta.

> Parece que casi todas las semanas, mi hijo vuelve del instituto con una carta que
> anuncia cualquier evento en el colegio. ¿Cómo puede aprender lo que tiene que saber
> si pasa tanto tiempo celebrando festivales? Claro, a veces es importante aprender
> sobre otras culturas, pero el colegio debería seleccionar cuidadosamente los
> eventos más importantes y no preocuparse por los demás. Otra queja que tengo
> es que cuesta bastante participar en los eventos, sobre todo si tengo que comprar
> algo especial. No quiero que mi hijo se sienta excluido, así que no tengo otra opción.

1 a The author is worried that her son...

A	isn't celebrating enough festivals.	
B	isn't learning enough.	
C	doesn't enjoy celebrations very much.	
D	forgets to tell her about the events.	

[1 mark]

1 b The author feels that...

A	she doesn't have the time to make dressing-up outfits.	
B	learning about other cultures is a waste of time.	
C	the school chooses the events they hold carefully.	
D	participating in the events can become too expensive.	

[1 mark]

2 Traduce el texto siguiente al **español**.

> I love school trips. It's always fun to travel somewhere with your friends. Last year I went to
> the countryside with my geography class. In Year 11 you can do an exchange. We will go
> to Spain and we will stay with Spanish families. It's a good way of improving your Spanish.

....

....

....

....

....

[12 marks]

Score: ☐ /14

Section 10 — Current and Future Study and Employment

Education Post-16

1 Translate the following passage into **Spanish**.

> After my exams, I would like to be an apprentice. Last summer, I had two weeks of work experience in a small company. It was really interesting and I learned a lot. I don't want to do A-levels because exams are very stressful for me and I don't like doing homework.

....

....

....

....

....

....

[12 marks]

2 Some teenagers are discussing their plans for next year on a social media site. Read what they say and answer the questions.

Elliot	Me gustaría hacer el bachillerato e ir a la universidad para estudiar geografía. Para hacer esto, hay que sacar sobresalientes y trabajar mucho.
Gabriel	No sé si quiero ir a la universidad después de hacer el bachillerato, así que a lo mejor me tomaré un año libre. Me gustaría viajar por el mundo y conocer la vida en otros países. Además, podría usar ese año para buscar experiencia laboral. Eso me ayudaría a decidir lo que quiero hacer en el futuro.
Zoe	Voy a cambiar de colegio el año que viene. En mi colegio solo se puede estudiar las asignaturas tradicionales. A mí me interesa ser cocinera profesional, así que iré a una academia especial para aprender a cocinar.

2 a Who needs to get outstanding marks in their exams? .... *[1 mark]*

2 b Who already knows what they want to do as a career? .... *[1 mark]*

2 c Who knows what they want to study at university? .... *[1 mark]*

2 d Who wants to learn about other cultures? .... *[1 mark]*

Score: [ ] /16

     Section 10 — Current and Future Study and Employment

Career Choices and Ambitions

1 Kyra, Rafael and Laura are exchanging their ideas about the careers they'd like to have. For each person, write down a positive and a negative aspect of the job they talk about.

		Positive	Negative
1 a	Kyra		
1 b	Rafael		
1 c	Laura		

[6 marks]

2 Translate the following passage into **Spanish**.

> Last month I started working part time in a shop. It's quite a fun job and it's important to learn how to work in a team. It's easier to get a job if you already have work experience. I always save the money I earn. I think I will spend it on a holiday after A-levels.

....

....

....

....

....

....

[12 marks]

Score: /18

Section 10 — Current and Future Study and Employment

Languages for the Future

1 Translate the following passage into **English**.

> Yo no tuve la oportunidad de aprender ningún idioma en el instituto. Cuando
> empecé a trabajar en un restaurante de comida italiana, el cocinero me enseñó un
> poco de su idioma. Voy a buscar un curso de italiano porque sería muy interesante.
> Creo que es esencial que todos aprendan por lo menos un idioma extranjero.

....

....

....

....

....

....

[9 marks]

2 Traduce el texto siguiente al **español**.

> Yesterday I was speaking to my friend's brother about languages. He speaks three
> languages — English, French and German. He said he liked learning languages
> at school and then he studied them at university. Sometimes I find languages
> difficult but it's fun to learn them too. In the future I would like to translate books.

....

....

....

....

....

....

....

[12 marks]

Score: ⬚ **/21**

Applying for Jobs

1 Translate the following passage into **English**.

> He rellenado varias solicitudes de trabajo este verano. Tengo que encontrar un trabajo porque quiero viajar a Brasil el año que viene y necesito dinero. No es necesario que sea un trabajo muy bien pagado y las posibilidades de promoción no importan nada. Sin embargo, no tengo coche, así que el lugar tendría que estar cerca de una estación de trenes.

....

....

....

....

....

....

[9 marks]

2 Lee este anuncio y contesta a las preguntas en **español**.

> **¿Eres trabajador/a? ¿Quieres trabajar desde casa?**
>
> Buscamos a una persona para ayudarnos este verano. Somos una agencia de viajes bastante nueva y necesitamos ayuda con nuestro sitio web.
>
> Pagamos por hora y ofrecemos buenas condiciones de empleo. Trabajarás desde casa y te comunicarás con tus colegas por correo electrónico.
>
> Si tienes un ordenador, tiempo y experiencia en cuanto a la creación de sitios web, manda una carta de solicitud a Sam Mapek. Nos pondremos en contacto pronto.

2 a ¿Qué tipo de empresa es?

.... *[1 mark]*

2 b ¿Dónde trabajará el/la empleado/a?

.... *[1 mark]*

2 c ¿Qué deberías hacer si te interesa este puesto de trabajo?

.... *[1 mark]*

Score: ☐ /12

Section 10 — Current and Future Study and Employment

Literary Texts

 1 Read this extract from *Niebla* by Miguel de Unamuno.

> Augusto, que era rico y solo, pues su anciana madre había muerto no hacía sino seis meses antes de estos **menudos sucedidos**[1], vivía con **un criado**[2] y una cocinera, sirvientes antiguos en la casa e hijos de otros que en ella misma habían servido. El criado y la cocinera estaban casados entre sí, pero no tenían hijos.
>
> Al abrirle el criado la puerta le preguntó Augusto si en su ausencia había llegado alguien.
>
> —Nadie, señorito.

[1] **trivial occurrences**   [2] **servant**

Which two statements are **true**? Write the letters in the boxes.

A	Augusto's mother was very old when she died.
B	Augusto was very poor after his mother's death.
C	The servant was married to the cook.
D	The servant and the cook had only just started working for Augusto.
E	Lots of people had arrived while Augusto was out.

☐ ☐

[2 marks]

 2 Complete this extract from *Un viaje de novios* by Emilia Pardo Bazán by choosing words from the table. Write the correct letter in each box.

> —¿Adónde ☐ usted, señora, con su marido?
>
> —Íbamos a Francia... a las aguas de Vichy, que le habían recetado los ☐ .
>
> —¿A Vichy directamente? ¿No pensaban ☐ detenerse en alguna parte?
>
> —Sí tal, en Bayona. Allí descansaríamos.
>
> —¿Está usted bien segura?
>
> —Segurísima. Me lo ☐ cien veces el señor de Miranda.

A	médicos	D	regaló
B	fui	E	iba
C	explicó	F	ustedes

[4 marks]

70

3 Estás en España y escuchas una adaptación de *Tormento* de Benito Pérez Galdós en la radio. Escucha y escribe la letra correcta en cada casilla.

3 a ¿Dónde han estado los niños de Rosalía?

A	en la iglesia
B	en el colegio
C	en la comisaría

[1 mark]

3 b ¿Qué quieren los niños?

A	comida
B	dinero
C	un abrazo

[1 mark]

3 c ¿Adónde van los niños con Caballero?

A	al jardín
B	a la cocina
C	al comedor

[1 mark]

4 Read this extract from *Sonata de otoño* by Ramón del Valle-Inclán. Then answer the questions in **English**.

> Estábamos sentados en el sofá y hacía mucho tiempo que hablábamos. La pobre Concha me contaba su vida durante aquellos dos años que estuvimos **sin vernos**[1]. Una de esas vidas silenciosas y resignadas que miran pasar los días con una **sonrisa**[2] triste, y lloran de noche en la oscuridad. [...] Ninguno de nosotros quiso recordar el pasado y permanecimos silenciosos. Ella resignada.

[1] without seeing each other   [2] smile

4 a Describe what is happening at the start of the extract. Give **two** details.

1. ....

2. .... *[2 marks]*

4 b What has Concha's life been like? Give **two** adjectives.

.... *[2 marks]*

4 c What don't Concha and the narrator want to remember?

.... *[1 mark]*

Score: ☐ /14

Section 11 — Literary Texts

Nouns

1 Underline all the nouns in these sentences. The first one has been done as an example.

a Odio la <u>geografía</u> y el <u>inglés</u>.

b Mi hermano compró unos zapatos nuevos.

c Los deberes son siempre difíciles.

d Tuviste tres bolígrafos rojos.

e Voy a visitar a mi abuelo.

f Me dio un regalo enorme.

g Me gustan los leones y los tigres.

h Los lunes solo como pasteles.

i Preferiría ir a la costa que ir al campo.

j Mis padres conocen a mis amigos.

2 Write either 'm' or 'f' after each noun to show whether it's masculine or feminine.

a queso ....

b árbol ....

c playa ....

d drama ....

e azúcar ....

f virtud ....

g canción ....

h autobús ....

i espejo ....

j pájaro ....

k prisión ....

l maldad ....

m taza ....

n papel ....

o falda ....

p clase ....

3 Make each of these nouns plural — don't forget to include 'los' or 'las'.

a fresa ....

b sábado ....

c conejo ....

d pez ....

e mes ....

f jardín ....

g edad ....

h nariz ....

i mujer ....

j reloj ....

k luz ....

l limón ....

m jueves ....

n examen ....

o camisa ....

4 Fill in the gaps in these sentences with the plural form of a word from the box. Only use each word **once**.

a Me levanto a las ocho de la mañana todos los ....

b Fui al zoo y vi muchos ....

c Las .... de mi habitación son amarillas.

d Tengo un jardín enorme con muchas ....

e Mis .... me dan muchos deberes.

> profesor
> pared
> flor
> día
> animal

Articles and Indefinite Adjectives

1   Circle the correct definite articles (**el**, **la**, **los** or **las**) to complete the sentences below.

   a   A **los** / **las** chicas les gusta jugar en el parque.

   b   **El** / **La** agua está muy limpia.

   c   Dame **el** / **los** lápiz, por favor.

   d   Me gustan **la** / **las** fresas.

   e   **El** / **Los** lunes siempre voy al polideportivo.

2   Fill in the gaps in these sentences using the correct indefinite article (**un**, **una, unos** or **unas**).

   a   He comprado .... estuche, ... goma y .... tijeras.

   b   Tengo .... hermano y .... hermana.

   c   En mi ciudad, hay .... mercado enorme y .... edificios feos.

3   Translate these phrases into **Spanish** using the correct articles.

   a   We like ham and cheese. ....

   b   On Saturdays, I get up late. ....

   c   In the future, I want to be a waiter. ....

   d   I would like some tomatoes, please. ....

   e   Mrs García is my teacher. ....

   f   I don't have a computer. ....

   g   The boring thing is that we can't go out. ....

4   Fill in the gaps in these sentences with a word from the box. You should use each word **once**, but some sentences don't need a word at all — just leave these gaps blank.

a Quiero .... oportunidad.	**e** Lavo los platos .... día.
b .... persona necesita un libro.	**f** Invité a .... mis amigos.
c No tiene .... dinero.	**g** No tiene .... chocolate.
d Me gustan .... sus novelas.	**h** Necesito .... huevo.

cada
todos
otro
otra
cada
todas

Section 12 — Grammar

Adjectives

1   Underline all of the adjectives in the sentences below.

a   Las ciencias son muy fáciles.

b   Vi a una mujer muy vieja.

c   Tantas personas vinieron a la fiesta.

d   Tiene el pelo castaño, largo y liso.

e   Leí una novela muy emocionante.

f   A mucha gente le gusta ir a la playa.

g   Es una idea fenomenal.

h   Según mi padre, la película es estupenda.

2   Using the word '**pequeño**' with the correct endings, translate these phrases into **Spanish**. The first one has been done for you.

a   the small mountain

     la montaña pequeña

b   the small house

     ....

c   the small eyes

     ....

d   the small apples

     ....

e   the small man

     ....

f   the small hats

     ....

3   Circle the correct adjective to complete each of these phrases.

a   un conejo **grande** / **grandes**

b   el gato **gordo** / **gorda** / **gordas**

c   tres chicas **delgado** / **delgada** / **delgadas**

d   dos asignaturas **fácil** / **fáciles**

e   un camarero **alto** / **alta** / **altos**

f   dos dentistas **feliz** / **felices**

g   el examen **difícil** / **difíciles**

h   las flores **bonito** / **bonitos** / **bonitas**

i   el león **peligroso** / **peligrosa** / **peligrosos**

j   una cara **hermosa** / **hermosos** / **hermosas**

4   Fill in the correct form of the adjective in each of these sentences.

a   Vi tres casas .... (*big*)

b   Compró tres blusas .... (*orange*)

c   Quisiera un abrigo .... (*lilac*)

d   Las paredes son .... (*blue*)

e   Conocí a cuatro personas .... (*sad*)

5 Translate these sentences into **Spanish** using the adjectives in the box to help.

a I live in a small flat. ....

b Maria is a happy girl. ....

c My teachers are nice. ....

d Football is easy. ....

e She buys three interesting books. ....

f Ben and Adam are young. ....

joven
fácil
simpático
pequeño
interesante
feliz

6 Translate the English sentences into **Spanish** by putting the words in the right order. The first one has been done for you.

Example: Vanessa has few friends. / **tiene pocos Vanessa amigos**
Vanessa tiene pocos amigos.
....

a The girl eats another apple. / **manzana come la otra niña**

....

b Many children play football. / **niños juegan fútbol al muchos**

....

c I liked the first film. / **gustó primera la me película**

....

7 Complete the sentences below by circling the correct form of each adjective.

a Hace **bueno** / **buen** tiempo.

b No había **ninguno** / **ningún** coche.

c Es un **mal** / **malo** profesor.

d Probé un **buen** / **bueno** zumo.

e **Algún** / **Alguna** gente cree que es una **mal** / **mala** idea.

8 Some adjectives change their meaning depending on where they are in a sentence. Put a tick next to the sentences that have been correctly translated.

a Tengo un reloj nuevo.   *I have a brand new watch.*

b Tiene dos viejos amigos.   *He has two elderly friends.*

c Ella es una mujer grande.   *She's a great woman.*

d El mismo año, fuimos a Italia.   *The same year, we went to Italy.*

9 Fill in the gaps in the Spanish sentences with the correct possessive adjectives to match the English sentences.

> Possessive adjectives are words like 'mi' and 'tu' ('my' and 'your').

a .... hermanos son traviesos.　　*My brothers are naughty.*

b Vi a .... amigo en la calle.　　*I saw your (inf., pl.) friend in the street.*

c .... primos se llaman Rita y Pau.　　*Our cousins are called Rita and Pau.*

d ¿Dónde están .... zapatos?　　*Where are your (inf., sing.) shoes?*

e .... bicicletas son rojas.　　*Their bicycles are red.*

f ¿Ha visto .... cara?　　*Have you seen your (form., sing.) face?*

10 Sometimes you need the longer possessive adjectives. Complete the sentences using words from the box.

a Las manzanas son ....

b La televisión es ....

c Los guantes son ....

d Este piso es ....

> tuyos
> mías
> nuestro
> vuestra

11 Translate these phrases into **Spanish** using the correct demonstrative adjectives.

> Demonstrative adjectives are words like 'this' ('este').

a I live in this street. ....

b They live in that street over there. ....

c I would like those potatoes. ....

d Would you (inf., pl.) like this book? ....

e Do you (inf., sing.) like that castle? ....

f No, I prefer those castles over there. ....

12 Fill in the correct form of 'cuyo' in each sentence.

Example: Ese es el hombre _cuya_ hija vive en Rusia.
(*This is the man **whose** daughter lives in Russia.*)

a Ese es el profesor .... clases son siempre interesantes.

b Esa es la mujer .... ventana está rota.

c Ese es el bombero .... mujer es ingeniera.

d Aquella es la chica .... novio es de Glasgow.

e Es la familia .... perros tienen quince años.

Section 12 — Grammar

Adverbs

1 Make each of these adjectives into an adverb (a word that describes an action).

a lento .... **e** simple ....

b normal .... **f** obvio ....

c ruidoso .... **g** completo ....

d claro .... **h** honesto ....

2 Translate these sentences into **Spanish**.

a They speak very sadly. *(triste)* ....

b We have to listen carefully. *(cuidadoso)* ....

c He drives dangerously. *(peligroso)* ....

d She sings sweetly. *(dulce)* ....

3 Each of these sentences has an error in it. Rewrite each adverb correctly on the dotted line.

a Me gusta cantar en un coro. Canto buenamente. ....

b Mi perro se comporta muy malo. ....

c Siempre comes tan deprisamente. ....

d Erica habla despacia. ....

4 Translate the English sentences into **Spanish** by putting the words in the right order.
They all follow the 'con' + noun pattern. The first one has been done for you.

Example: He did the exam easily (with ease). / **el con hizo examen facilidad**
Hizo el examen con facilidad.

a She always danced elegantly. / **bailaba siempre elegancia con**

....

b He kissed her passionately. / **la pasión con besó**

....

c I watched the film sadly. / **película vi tristeza con la**

....

5 Fill in the gaps in these sentences with a word from the box.

a ¿ .... es tu cumpleaños? ¿En enero?

b ¿ .... te llamas? ¿Emma?

c ¿ .... vives? ¿En esa calle?

d ¿ .... fuiste a Perú? ¿En mayo?

e ¿ .... está usted? ¿Bien?

f ¿ .... dejaste mi libro? ¿En el salón?

g ¿ .... vas al colegio? ¿En coche?

h ¿ .... quieres salir? ¿Ahora?

| Cuándo |
| Cuándo |
| Cuándo |
| Cómo |
| Cómo |
| Cómo |
| Dónde |
| Dónde |

6 Translate these sentences into **Spanish**.

a Our cousins are here! ....

b There were birds everywhere. ....

c There, they eat paella. ....

d Here, we drink lots of tea. ....

e We are still very far away. ....

f You (form., pl.) went there last year. ....

g I like living here. ....

7 Fill in the gaps with the most appropriate adverb.

a Voy a hacer mis deberes .... **en seguida / de repente**

b Me despierto y .... me levanto. **ahora / de nuevo / después**

c Mi primo .... ha comido así. **pronto / siempre**

d .... es difícil saber la respuesta. **antes / a veces / ya**

e Haz las compras, y .... , iré allí. **mientras tanto / pocas veces / siempre**

f .... estoy listo. **después de / a menudo / ahora**

Section 12 — Grammar

Comparatives and Superlatives

1 Translate these sentences into **Spanish**.

a Louis is nice but Sid is nicer. ....

b I am taller than my cousin. ....

c They are more intelligent than me. ....

d He is the most polite of his brothers. ....

e I bought the most expensive shoes. ....

2 Complete these sentences, using the bit in brackets to help you.

Example: Mi hermano es _menos paciente_ que yo. *(less patient)*
(*My brother is less patient than me.*)

a Ahora él es .... que tú. *(less important)*

b Mi ciudad es .... que París. *(less beautiful)*

c El rey es .... de mi país. *(the least poor)*

d El francés es .... que el español. *(less easy)*

e Esta clase es .... del día. *(the least boring)*

3 Make the comparisons correct by circling the right word.

a Nicholas es **tan** / **tanto** inteligente como Carla.

b Mis zapatos están tan sucios **como** / **que** los tuyos.

c Nuestra casa está **tan** / **más** limpia como la tuya.

4 Translate these sentences into **Spanish**.

a Strawberries are more delicious than grapes. ....

b Barcelona is as interesting as Madrid. ....

c Badminton is less boring than hockey. ....

d My father is as strict as my mother. ....

5 Fill in the gaps in these sentences with a word from the box.

a Acabo de leer .... libro del mundo. Fue aburridísimo.

b Juego para .... equipo de la región. Hemos ganado todos los partidos.

c Carla es .... que yo. Solo tiene cinco años.

d Los .... estudiantes sacaron notas fenomenales.

e Las películas que acabo de ver son .... que he visto. Fueron terribles.

f Ana es mi hermana .... Tiene dos años más que yo.

mayor
menor
el mejor
mejores
el peor
las peores

6 Translate these sentences into **Spanish**.

a Gabriel is younger than Naomi. ....

b I went to the best party in the world. ....

c The tea is worse than the coffee. ....

d Manuel is the oldest of his friends. ....

e The worst thing is that it's raining. ....

f My idea is better than yours. ....

7 Adverbs can also be used to form comparatives and superlatives.
Make these sentences make sense by circling one of the words in bold.

a Claudia habla más rápidamente **que** / **como** Irene.

b A Ian le encanta trabajar. Trabaja **más** / **menos** alegremente que sus colegas.

c Mi hijo menor no duerme tan **tranquilamente** / **tranquila** como su hermano.

d Corro más **deprisa** / **despacio** que mis amigas. ¡No voy a ganar nunca!

e Yo canto bien, pero ella canta **mejor** / **mayor**.

f Él baila **peor** / **el peor** que sus hermanos.

8 Translate these phrases into **English**.

a Elisa es la que estudia más diligentemente. ....

b Julia es la que canta más alegremente. ....

c José y Luna son los que hablan más claramente. ....

d Ellos son los que celebran más frecuentemente. ....

Quantifiers and Intensifiers

1 Fill in the gaps with the most appropriate quantifier.

a Tengo .... primos. **demasiado / muchos**

b Soy pobre. Tengo .... dinero. **poco / poca**

c Tienes .... faldas. **demasiadas / un poco de / tanta**

d No pude ver porque había .... gente allí. **tantas / tanta / bastante**

e Quisiera .... mermelada. **un poco de / poco**

f Hay .... trabajo aquí. **bastante / poca / mucha**

2 Translate these sentences into **Spanish**.

a For me, English is quite difficult. ....

b I think rugby is very boring. ....

c Normally he's too honest. ....

d Jodie was very ill on Monday. ....

e My dog is not very happy today. ....

f The building is too ugly. ....

g It's quite an interesting book. ....

h It costs very little. ....

3 Add a suffix (-ísimo/a) or (-ito/a) to each adjective to change its meaning.
You can use the hint in the brackets to help you, but you may have to change its ending.

Example: Este libro es **really good**. ___buenísimo___ *(bueno)*

a El campo es **really beautiful**. .... *(hermoso)*

b Mi casa es **tiny**. .... *(pequeño)*

c Creo que los patos son **really ugly**. .... *(feo)*

d Pienso que él es **really good-looking**. .... *(guapo)*

e El bebé es **chubby**. .... *(gordo)*

Subject Pronouns

1 Match each Spanish sentence with its English translation.

a	Nosotros fuimos a la playa.	**i**	*You (inf., sing.) are eight years old.*
b	Tú tienes ocho años.	**ii**	*Have you (form., sing.) seen my friend?*
c	Yo compré unas camisas ayer.	**iii**	*I bought some shirts yesterday.*
d	¿Usted ha visto a mi amigo?	**iv**	*They live in Madrid.*
e	Ellas viven en Madrid.	**v**	*We went to the beach.*

2 In Spanish, there are four different ways to say 'you'.
For each sentence, decide which verb you would need.

a ¡Buenos días, señores! ¿Cómo .... ?   **está / están / estáis**

b ¡Hola Lily! ¿ .... visto a mi hermano?   **Habéis / Has / Ha**

c Julio y Carmen, ¿ .... ir de compras?   **queréis / quiere / quieres**

d Como presidente, usted .... hacer más por la gente.   **debes / debe / deben**

3 In Spanish, subject pronouns are often used for emphasis.
Translate these sentences into **Spanish** using the correct subject pronouns.

a I am short, but he is tall. ....

b We want rice but they prefer potatoes. ....

c You (inf., sing.) speak French but I speak Spanish. ....

d She is a teacher and he is a singer. ....

e You (inf., pl) can go to the concert, but he can't. ....

4 Some of these sentences have the wrong subject pronouns. Tick the ones
that are correct and give the correct subject pronoun for any that are wrong.

a Ella estaba en casa cuando llegué.   ....

b Nosotros va al cine una vez por semana.   ....

c Tú tienes que aprobar el examen.   ....

d Ustedes piensa que el fútbol es una pérdida de tiempo.   ....

Object Pronouns

1 Fill in the gaps in these sentences with an object pronoun from the box.

   a Daniel lava el coche.   Daniel .... lava.

   b Samira compró una flauta.   Samira .... compró.

   c Ellos vieron a nosotros.   Ellos .... vieron.

   d Encontré las botellas.   .... encontré.

> la
> lo
> las
> nos

2 Translate these sentences into **Spanish** using the correct indirect object pronouns.

   a He gave me the book. ....

   b I sent him a letter. ....

   c I called you (inf., pl.) yesterday. ....

   d Would you (form., pl.) like to go to the cinema? ....

   e She showed us a photo. ....

3 Rewrite each sentence, putting the pronoun in brackets in the correct place. If the pronoun can go in more than one place, write the sentence both ways.

   a ¡Llama pronto! (*me*) ....

   b Estoy viendo. (*te*) ....

   c Voy a visitar. (*os*) ....

   d Escribe, por favor. (*lo*) ....

   e Habló de la noticia. (*nos*) ....

4 Translate the English sentences into **Spanish** by putting the words in the right order. You'll need to think about the order of the object pronouns.

> Indirect object pronouns go before direct object pronouns. 'Le' and 'les' become 'se' in front of 'lo', 'la', 'los' or 'las'.

Example: He sent them to me. / **envió las me**   <u>Me las envió.</u>

   a We will give it to her. / **lo se daremos** ....

   b You (inf., pl.) will bring them to me. / **me traeréis los** ....

   c They tell it to him. / **la se cuentan** ....

   d You (inf., sing.) write it to us. / **escribes nos la** ....

More Pronouns

1   Complete each sentence by circling the correct pronoun.

a   La tarta es para **tú** / **ti**.

b   Ayer estaba pensando en **ella** / **su**.

c   ¿Las zanahorias son para **me** / **mí**?

d   ¿Ellas tienen que ir **contigo** / **con ti** / **con tú**?

e   Estábamos hablando de **ti** / **tú** y de **su** / **él**.

2   Translate the words in brackets into **Spanish** to complete the sentences.

a   Estamos caminando hacia (**them — girls and boys**). ....

b   Hablamos de (**you — form., sing.**). ....

c   Magda va al cine (**with me**) esta noche. ....

d   Hay una película sobre (**them — all girls**). ....

3   Fill in the gaps in these sentences with a relative pronoun from the box.

a   Fuimos a Valencia, ... es una ciudad maravillosa.

b   No entiendo .... ha pasado.

c   Esa es la mujer .... fuimos al teatro.

d   El perro .... vieron no es mío.

e   Aquí está la pintura .... estoy hablando.

f   .... quieres es imposible.

| que |
| que |
| lo que |
| lo que |
| con quien |
| de la cual |

4   Translate these sentences into **Spanish** using the correct interrogative pronouns.

a   Whose is this car? ....

b   What did you (inf., sing.) do last weekend? ....

c   Who called you (inf., sing.)? ....

d   What is your (inf., sing.) address? ....

e   Which one do you (inf., sing.) prefer? ....

f   Whose (plural) are these coats? ....

84

5 Translate each sentence into **Spanish**. The English nouns in brackets tell you what the possessive pronoun in each sentence is referring to.

Example: Hers is green. *(her car)* _El suyo es verde._

a Mine is blue. *(my T-shirt)* ....

b Yours (inf., sing.) is very interesting. *(your book)* ....

c Theirs is quite small. *(their castle)* ....

d Yours (form., pl.) are here. *(your flowers)* ....

e Ours are big. *(our cats)* ....

6 Translate these sentences into **Spanish** using **algo** and **alguien**. Watch out for any situations when you might need the personal '**a**'.

See p.78 for more questions on the personal 'a'.

a Someone has stolen my bag. ....

b Have you (inf., sing.) done anything interesting? ....

c I saw someone with blue hair. ....

d I need something else. ....

7 Complete these sentences with a demonstrative pronoun from the box. Use each one only once.

a Ese barco es más grande que ....

b Estas naranjas están más dulces que ....

c Aquella playa tiene más arena que ....

d Estos caballos son más fuertes que ....

e ¿Quién dijo ....?

| esta |
| eso |
| esas |
| esos |
| aquel |

8 Translate these sentences into **Spanish** using the correct demonstrative pronouns.

a I don't want to buy this skirt — I want to buy that one.

....

b If you want to read a book, you can read that one over there.

....

Prepositions

1 Match each **Spanish** sentence on the left with its **English** translation on the right.

a El conejo está al lado de la mesa.

b El conejo está enfrente de la mesa.

c El conejo está detrás de la mesa.

d El conejo está delante de la mesa.

e El conejo está debajo de la mesa.

i *The rabbit is in front of the table.*

ii *The rabbit is under the table.*

iii *The rabbit is opposite the table.*

iv *The rabbit is next to the table.*

v *The rabbit is behind the table.*

2 Fill in the gaps in these sentences with a preposition from the box. Use each one only **once**.

a Mi colegio está .... Brighton.

b .... julio, estaremos de vacaciones.

c La camisa es .... algodón.

d El sábado, queremos ir .... polideportivo.

e El autobús va .... Preston .... Wigan.

f Hay una foto .... la pared.

hasta
en
desde
al
a partir de
en
de

3 Translate these sentences into **Spanish**.

a I go to the park. ....

b The milk is between the cheese and the cream. ....

c I come from Swansea. ....

d The shoes are on the table. ....

e The pears are at the back of the shop. ....

f On Thursdays, we go to the swimming pool. ....

g The pen is inside my pencil case. ....

h I listened to the song on the radio. ....

Section 12 — Grammar

'Por', 'Para' and the Personal 'a'

1   Decide whether you need **por** or **para** to complete each of these sentences.

a   El tren .... Madrid va a salir en diez minutos.

b   Hice esta tarta .... Melissa, porque es su cumpleaños.

c   Gracias .... el regalo.

d   Pagué treinta euros .... los zapatos.

e   Voy al gimnasio dos veces .... semana .... mantenerme en forma.

f   No debemos salir porque está .... llover.

g   El ladrón entró .... la ventana.

h   Tenemos suficiente dinero .... tres días.

2   Translate these sentences into **Spanish** using **por** and **para**.

a   Thank you for the ice cream. ....

b   This book is for you. ....

c   In the afternoon, I will go to the cinema. ....

d   In my opinion, the beach is beautiful. ....

e   I need the money by tomorrow. ....

f   I saw the car through the window. ....

g   Lisa is going to Chile for two weeks. ....

3   Some of these sentences are missing the personal a.
Write out the ones which need the personal **a** correctly.

a   Estoy buscando un autobús. ....

b   Descubrió los niños. ....

c   Llamé mi profesor. ....

d   Vi el árbol más grande del mundo. ....

e   Pregunté la dependienta. ....

f   Visitarán su abuela. ....

Conjunctions

1 Match each **Spanish** conjunction on the left with its **English** translation on the right.

a	y	**i**	*and*
b	o	**ii**	*but rather*
c	sino	**iii**	*such that*
d	mientras	**iv**	*or*
e	de manera que	**v**	*while*

2 Complete each sentence by circling the correct conjunction in bold.

a Estudian geografía **e** / **y** inglés.

b Tiene dos **o** / **u** tres manzanas.

c Cuesta setenta **o** / **u** ochenta libras.

d Quiero jugar en el parque **e** / **y** ir de compras.

3 Fill in the gaps with the most appropriate conjunction.

a Comió tres peras .... dos piñas. **porque / y / si**

b Quiero dar un paseo .... está lloviendo. **así que / pero / con**

c Yo cocinaba la cena .... ellos iban al parque. **mientras / o / sino**

d Puedes hacerlo .... quieres. **porque / entonces / si**

e Voy en monopatín .... hace sol. **cuando / por lo tanto / o**

f .... eres tan inteligente, tendrás una solución. **como / así que / mientras**

4 Translate these sentences into **Spanish**.

a I went to the cinema with Pablo and Iván. ....

b My favourite food isn't chicken, but rather cheese. ....

c My brother sings while he showers. ....

d I would like a banana or an apple. ....

e It's hot so I want an ice cream. ....

Present Tense

1   Write each of these verbs in **Spanish** in their infinitive form.

a   to have   ....   **c**   to live   ....   **e**   to write   ....

b   to want   ....   **d**   to sing   ....   **f**   to think   ....

2   Fill in the gaps in these sentences with the right form of **visitar** (a regular **-ar** verb).

a   Yo   .... a mi amigo.

b   Tú   .... muchas ciudades.

c   La mujer   .... a su tía.

d   Fred y yo   .... a nuestros abuelos.

e   ¿Vosotros   .... a Naomi?

f   Esther y Sam   .... París.

| visitamos |
| visita |
| visitáis |
| visito |
| visitan |
| visitas |

3   Fill in the table to show **beber** (a regular **-er** verb) in the present tense.

English	Spanish	English	Spanish
I drink		we drink	
you (inf., sing.) drink	bebes	you (inf., pl.) drink	
he/she/it drinks		they drink	
you (form., sing.) drink		you (form., pl.) drink	

4   Complete each sentence by circling the correct form of **escribir** (a regular **-ir** verb).

a   Sita y Raúl **escribe / escriben** muchas cartas.

b   Alejandro, ¿ **escribes / escribimos** una novela?

c   Yo **escribo / escribe** cerca del mar.

d   ¿Usted **escribes / escribe / escribís** mucho?

5   Translate these sentences into **Spanish** using the present tense.

a   I eat chicken every day.   ....

b   I have been coming here for four years.   ....

c   We have been waiting for an hour.   ....

6 Translate these sentences into **English**.

a Puedo ayudar a tu abuela. ....

b Queremos ir de compras. ....

c El coche cuesta mil libras. ....

d Las clases empiezan a las ocho. ....

e Me despierto a las siete. ....

f Nos acostamos a las diez. ....

7 Tom has written these Spanish sentences, but he has made some mistakes with his radical-changing verbs. Write out the wrong sentences correctly.

a Yo penso que él tiene un perro. ....

b Almorzo a las once. ....

c Me duelen los dedos. ....

d Jugamos al baloncesto. ....

e No duermo bien cuando llove. ....

8 Complete the sentences by filling in the gaps. Watch out for any irregular forms.

a Yo no .... lo que está pasando.   **sabe / sabo / sé**

b Elisa y Juan .... a la tienda.   **van / va / vas**

c El profesor nos .... muchos deberes.   **da / doy / dan**

d Los viernes, yo .... a Durham.   **vo / voy / va**

e Él .... que no es verdad.   **sabo / sé / sabe**

f Yo te .... uno de mis caramelos.   **doy / da / do**

9 Translate these sentences into **Spanish**.

a I know that she has a sister. ....

b When he goes to the park, he plays football. ....

c I prefer to do my homework straightaway. ....

Section 12 — Grammar

'Ser' and 'Estar' in the Present Tense

1   Complete these sentences with a form of **ser** from the box.

a   Daniel y yo .... griegos.

b   Mi padre .... bombero y mi madre .... traductora.

c   Boris y John .... unos jóvenes muy inteligentes.

d   Tú .... una persona muy amable.

e   ¿Vosotros .... españoles?

f   Yo .... más comprensivo que mi hermana.

g   Mi tío .... más alto que mi padre.

h   Eddie y Joshua .... mis primos.

sois
es
somos
es
eres
soy
son
es
son

2   Translate these sentences into **Spanish** using the verb **estar**.

a   The book is in my rucksack. ....

b   I am very tired today. ....

c   Bilbao is in Spain. ....

d   Are you (inf., sing.) ill today? ....

e   I am in the garden. ....

f   We are on holiday. ....

g   Are you (inf., pl.) already there? ....

3   Decide whether you need **ser** or **estar** in each of these sentences. Circle your answer.

a   ¡Hola! **Soy** / **Estoy** George.

b   No puedo venir a tu fiesta. Todavía **soy** / **estoy** de vacaciones en Escocia.

c   No **somos** / **estamos** de Valencia, sino de Málaga.

d   Hannah **es** / **está** una persona bastante trabajadora.

e   Ethan **es** / **está** triste porque ha perdido su dinero.

f   Tú **eres** / **estás** más bajo que yo.

g   Todas mis primas **son** / **están** peluqueras. ¡Qué raro!

h   ¿Por qué **sois** / **estáis** aquí?

Preterite Tense

1 Finish these sentences by adding the correct ending to the verb.

a Ishmael llor............ mucho.

b Javier y yo sal............ anoche.

c Tú suspend............ la prueba.

d El concierto dur............ una hora.

e Yo abr............ la puerta.

f Nosotros escrib............ un artículo interesante.

g Vosotros com............ todo el queso.

h Carla e Irene aprob............ el examen.

i Mi madre nac............ en 1971.

j Erica y Kate beb............ zumo de manzana.

2 Fill in the gaps by choosing the correct preterite verb.

a Mercedes, ¿tú .... a la pescadería? **fue / fuiste / fuisteis**

b Mis primos y yo .... la caja en el coche. **pusisteis / pusieron / pusimos**

c Yo .... mis libros. **traje / trajo / trajiste**

d Vosotras .... al espectáculo. **vinieron / viniste / vinisteis**

e Luis .... su maleta anteayer. **hice / hizo / hicieron**

f Tus amigos te .... un sombrero. **diste / disteis / dieron**

g Lia me .... que Joe estaba triste. **dijo / dije / dijeron**

3 Translate these sentences into **Spanish**.

a I bought six cakes from the pastry shop. ....

b Germán watched TV for four hours. ....

c The pupils did their homework. ....

d Laura and Pilar brought me bread. ....

e You (inf., pl.) played the drums. ....

f I gave flowers to my grandmother. ....

g My brother and I went to the park. ....

h Your parents played tennis yesterday. ....

i You (inf., sing.) came to visit me. ....

Imperfect Tense

1 Match the **Spanish** sentences on the left with their **English** translations on the right.

a Iba al gimnasio en bici.

b Hacía viento en la ciudad.

c Veíamos documentales juntos.

d Eran muy traviesos.

e Tocaba la flauta en el jardín.

f Eras bastante perezosa.

i *I used to go the gym by bike.*

ii *We used to watch documentaries together.*

iii *She was playing the flute in the garden.*

iv *It was windy in the city.*

v *You used to be quite lazy.*

vi *They used to be very mischievous.*

2 Fill in the gaps by writing out the verb in brackets in the imperfect tense.

a .... (**Dormir, nosotros**) hasta las once todos los sábados.

b .... (**Haber**) mucha gente en las calles.

c Cada verano, ... (**nadar, ellos**) en el lago.

d .... (**Repasar, tú**) después de cenar.

e .... (**Poner, yo**) mi estuche en mi mochila.

f .... (**Leer, vosotros**) el periódico por la mañana.

g .... (**Hacer, yo**) mis deberes sin quejarme.

3 Translate these sentences into **Spanish**.

a We used to visit our grandmother. ....

b You (inf., sing.) used to be a cook. ....

c I used to watch movies on Fridays. ....

d He used to sing in the car. ....

e It was snowing in the countryside. ....

f They used to go to that supermarket. ....

g She used to talk a lot. ....

h You (inf., pl.) used to eat a lot of chocolate. ....

Preterite and Imperfect

1   Fill in the gaps by choosing between the preterite and imperfect forms.

a   Siempre .... en el coche.   **cantaste / cantabas**

b   El lunes .... al colegio.   **fui / iba**

c   Los jueves .... con su hermano.   **cenaron / cenábamos**

d   .... las compras a menudo.   **Hicimos / Hacíamos**

e   Ayer, Pedro .... la verdad a su madre.   **dijo / decía**

f   De niña, Rita siempre .... habladora.   **fue / era**

g   Anteayer, ... buen tiempo.   **hizo / hacía**

h   .... nublado el día de mi cumpleaños.   **Estuvo / Estaba**

2   Fill in the gaps using the verbs in brackets. Watch out — they could be preterite or imperfect.

a   El gato saltó cuando .... (**ver**) el perro.

b   .... (**Venir**) aquí para visitarte cuando oí un ruido extraño.

c   Rocío .... (**ir**) a la tienda mientras tú .... (**volver**) a casa.

d   Estudiaban desde hacía cinco minutos cuando sus amigos .... (**irse**).

e   Yo .... (**estar**) en el aeropuerto cuando la encontré.

f   El martes, ... (**decidir**) acostarme temprano.

g   Eli .... (**dormir**) desde hacía una hora cuando él .... (**llegar**).

3   Translate the following sentences into **Spanish**.

a   When I heard the noise, I was at home. ....

b   It was very cold and it was raining too. ....

c   They were going to York when they saw the cat. ....

d   He used to have a green jacket. ....

e   I went to the park and I lost my coat. ....

f   It was sunny and the birds were singing. ....

Perfect and Pluperfect Tenses

1 You can use past participles with the verb 'haber' to say what you 'have done' or 'had done'. Write out the past participles for these verbs. Some of them might be irregular.

a hablar ....

e poner ....

i decir ....

b pedir ....

f beber ....

j hacer ....

c abrir ....

g escribir ....

k volver ....

d ver ....

h nadar ....

l romper ....

2 Change these sentences from the present tense into the perfect tense. The first one has been done for you.

Example: Voy a Madrid. ...... *He ido a Madrid.* ......

a Como una ración de tortilla. ....

b Lucía escribe una historia interesante. ....

c Hacemos un viaje a Londres. ....

d Pones las tazas en el lavaplatos. ....

e Vuelven a casa temprano. ....

3 Change these sentences from the preterite tense into the pluperfect tense (the 'had done' tense).

a El examen empezó. ....

b Elegiste estudiar arte dramático. ....

c Abrieron el monedero. ....

d Compré el collar en una tienda. ....

e Leímos revistas de moda. ....

4 Translate these sentences into **English**.

a Habíais roto las ventanas. ....

b Federico ya había almorzado. ....

c Habíamos visto esa película. ....

d Habían dormido en el sofá. ....

Future Tenses

1   Match each Spanish sentence on the left with its English translation on the right.

a   Van a estudiar para su examen.

b   Voy a pedir dos botellas de agua.

c   Vas a tomar un año libre.

d   Vamos a levantarnos temprano el lunes.

e   Vais a cerrar la ventana.

i   *You (inf., pl.) are going to close the window.*

ii *You (inf., sing.) are going to take a gap year.*

iii *They are going to study for their exam.*

iv *We're going to get up early on Monday.*

v   *I am going to order two bottles of water.*

2   Using the present tense of **ir**, fill in the gaps to create sentences in the immediate future tense.

a   (Nosotros) .... a hacer las compras esta tarde.

b   (Tú) .... a casarte con José.

c   (Yo) .... a pagar por los pendientes.

d   (Ella) .... a probar el pastel.

e   (Ellos) .... a estar en huelga mañana.

3   Replace the words in brackets with the correct Spanish verb to form regular future tense sentences.

a   Mañana .... (**we will learn**) sobre las ventajas y las desventajas.

b   Noelia te .... (**will bring**) el videojuego.

c   El sábado tú .... (**will sing**) la canción que has escrito.

d   .... (**I will correct**) los deberes cuando tenga tiempo.

e   Pilar y Miguel .... (**will lie**) a su tío.

4   Translate these sentences into **Spanish**.

a   I will look for the book tomorrow. ....

b   We will have dinner at my father's restaurant. ....

c   They will call us after the show. ....

d   You (inf., pl.) will put the pencils on the table. ....

e   You (form., sing.) will have an umbrella. ....

Would, Could and Should

1 Señor Ramos has written a list of what he would do if he won the lottery.
Complete the sentences by writing the verbs in brackets in the conditional tense in the 'yo' form.

    a .... (**viajar**) por el mundo en mi barco.

    b .... (**tener**) diez casas grandes con piscinas.

    c .... (**poder**) comprar mi propia isla.

    d .... (**hacer**) viajes a Australia para visitar a mis primos.

    e .... (**dar**) dinero a mis amigos.

    f .... (**dejar**) de trabajar.

2 Match each Spanish sentence on the left with its English translation on the right.

    a Lavaríamos los platos primero, luego las tazas.

    b Les gustaría hablar contigo.

    c Escribiría, pero le duele la mano.

    d Bebería té, pero no hay leche.

    e No veríais ese programa.

    f No correría diez kilómetros.

    i *I would drink tea but there's no milk.*

    ii *We would wash the dishes first, then the cups.*

    iii *You (form., sing.) wouldn't run ten kilometres.*

    iv *You (inf., pl.) wouldn't watch that programme.*

    v *They would like to speak to you (inf., sing.).*

    vi *She would write, but her hand hurts.*

3 Translate these sentences into **Spanish**.

    a He would eat, but he isn't hungry. ....

    b You (form., sing.) would help, but you can't drive. ....

    c Could you (inf., sing.) give me that scarf? ....

    d We should visit Sergio. ....

    e I would buy a souvenir, but I don't have money. ....

    f They wouldn't sell their house. ....

    g She should study more. ....

    h We would hire a car, but the bus is faster. ....

Reflexive Verbs and Pronouns

1   Fill in the correct reflexive pronoun in each of the sentences below.

a   .... duchan antes de desayunar.

b   .... vestimos rápidamente.

c   .... mantengo en forma.

d   .... caes casi todos los días.

e   .... bañáis en el mar.

f   .... encuentra mal hoy.

2   Put these verbs into the correct present tense form.

a   llamarse (**tú**) ....

b   sentirse (**yo**) ....

c   levantarse (**nosotros**) ....

d   dormirse (**vosotros**) ....

e   acostarse (**usted**) ....

f   irse (**ellos**) ....

g   despertarse (**nosotros**) ....

h   ponerse (**ella**) ....

3   Fill in the gaps by putting the reflexive verbs in brackets in the perfect tense.

a   Esta semana, ... (**despertarse, tú**) a las siete todos los días.

b   Mi familia y yo .... (**ponerse, nosotros**) los abrigos porque hace mucho frío.

c   Los niños .... (**acostarse, ellos**) porque estaban cansados.

d   Su amigo .... (**levantarse, él**) temprano hoy.

e   Todavía no .... (**ducharse, yo**).

4   Translate these sentences into **Spanish**. Some use the present tense and some use the perfect tense.

a   Roberto feels sad. ....

b   We go away tomorrow afternoon. ....

c   You (inf., sing.) have got dressed. ....

d   My grandmother is called Luisa. ....

e   They have washed themselves in the river. ....

            Section 12 — Grammar

Verbs with '-ing' and 'Just Done'

1 Write the present participle (the '-ing' form) for each of these verbs.

a correr ....

b servir ....

c decir ....

d seguir ....

e dormir ....

f escribir ....

2 Translate these sentences into **Spanish**.

a I am chatting with my friends. ....

b She is listening to music in the lounge. ....

c We are ordering some drinks. ....

d You (form., sing.) were reading the newspaper. ....

3 Complete the sentences by translating the bits in brackets into **Spanish**.

a Cuando se me cayó el móvil, ... la tele. *(I was watching)*

b .... el cuadro cuando los viste. *(They were looking at)*

c .... cuando ocurrió el accidente. *(You (inf., pl.) were having dinner)*

d .... trabajando cuando entró el jefe. *(We were working)*

e .... en el jardín cuando su marido llegó, gritando. *(She was in)*

4 Translate these sentences into **Spanish** by putting the words in the right order.

Example: Ángel has just cleaned the kitchen. / **la Ángel cocina de acaba limpiar**
Ángel acaba de limpiar la cocina.

a I have just eaten ten oranges. / **de diez comer naranjas acabo**

....

b We have just won the competition. / **concurso ganar de acabamos el**

....

c They have just solved the problem. / **solucionar el acaban problema de**

....

Negative Forms

1   Make these sentences negative by adding **no** in the correct place.

Example: Me gustan los pájaros. *No me gustan los pájaros.*

   a   Escuchas música. ....

   b   Tomaron una decisión. ....

   c   He empezado el ensayo. ....

2   Translate these sentences into **Spanish**.

   a   You (inf., pl.) would not drink the milk. ....

   b   We will not ask the teacher. ....

   c   It wasn't sunny yesterday. ....

3   Translate these sentences into **English**.

   a   No, no creo que sea una buena idea. ....

   b   No conocen a nadie en Francia. ....

   c   No hay ninguna carpeta. ....

   d   No, no sé nadar. ....

   e   Ya no tocamos el violín. ....

   f   No has visto ni a Marta ni a Federico. ....

4   Using the words in brackets, make these sentences negative.
You might need to change words or take some out too.

Example: Preparo la cena. (**no ... nunca**) *No preparo nunca la cena.*

   a   Joe enseña química. (**ya no**) ....

   b   Vamos al parque. (**no ... nunca**) ....

   c   Llevo gafas y un collar azul. (**no ... ni ... ni**) ....

   d   Mis tíos han escrito cartas. (**no ... ninguna**) ....

   e   Había personas en la cocina. (**no ... nadie**) ....

   f   Queréis comer algo. (**no ... nada**) ....

Section 12 — Grammar

Passive and Impersonal

1 Underline the verbs written in the passive. Watch out — not every sentence contains the passive.

a El autobús partió a las tres y cuarto.

b La compañía fue fundada en 1986.

c La máquina hace mucho ruido.

d El salón está pintado por sus hermanos.

e El niño siguió al veterinario.

f Encontraron una llave en el jardín.

g El anillo será llevado por Juana.

h Los coches fueron comprados anteayer.

2 Write the endings of these past participles. Make sure they agree with the subject.

a El dinero fue ganad..........

b Los plátanos son cultivad..........

c La pelota será lanzad..........

d Las cajas de piñas fueron pesad..........

3 Match these Spanish sentences on the left with their English translations on the right.

a ¿Se venden casas aquí?

b Se puede reservar habitaciones.

c Se juega al fútbol en el parque.

d Se recicla el vidrio.

i *Rooms can be reserved.*

ii *Football is played in the park.*

iii *Do you sell houses here?*

iv *Glass is recycled.*

4 Translate these sentences into **Spanish** using 'hay que' and 'parece que'.

a You have to put the apples in the fridge. ....

b It seems that Enrique is ill today. ....

c You have to pay the rent today. ....

d It seems that Sandra doesn't want to eat. ....

5 Fill in the spaces by writing out the weather verbs in brackets.

a Siempre .... (**estar nublado**) cuando voy a la playa.

b Cuando .... (**tronar**), le da miedo al perro.

c El paisaje es muy hermoso cuando .... (**nevar**).

d Hoy .... (**hacer sol**) en la aldea, pero en la ciudad .... (**llover**).

Section 12 — Grammar

Imperative and Subjunctive

1   Write out the following verbs as singular informal commands.

a cantar ....
    e saltar ....
    i correr ....

b abrir ....
    f poner ....
    j mentir ....

c hacer ....
    g decir ....
    k tener ....

d ser ....
    h venir ....
    l salir ....

2   Your mother has told your little brother what he must and mustn't do.
Fill in the blanks with the appropriate verb in command form.

Comer	Dibujar	Jugar	Lavarse

a ¡No .... todas las galletas!
    c ¡No .... al hockey!

b ¡........................ los dientes!
    d ¡No .... en las paredes!

3   You are giving a tourist directions. Write the verbs in brackets as formal commands.

a .... (**Seguir**) todo recto.

b .... (**Girar**) a la izquierda.

c Luego, ... (**tomar**) la primera calle a la derecha.

4   Complete these sentences by putting the verbs in brackets into the present subjunctive.

a Quiero que mi madre me .... (**dejar**) ir al concierto.

b Vamos a esconder estos dulces antes de que .... (**venir**) nuestra hermana.

c Buscáis un piso pequeño que .... (**estar**) cerca de la biblioteca.

d Les irrita que no .... (**haber**) libros para todos los alumnos.

e No pienso que Sofía me .... (**decir**) la verdad.

f Te regalo este reloj para que .... (**llegar**) a tiempo.

g Es importante que .... (**escribir**, **ustedes**) sus nombres en los exámenes.

5   Underline the verbs written in the imperfect subjunctive.

a Pedí que me enviaras tu respuesta ayer.
    c Organizaría la fiesta, si tuviera más tiempo.

b Si yo fuera tú, estaría de acuerdo con Mónica.
    d Era esencial que termináramos el proyecto.

Section 12 — Grammar

Asking Questions

1 Decide whether to use **cuál** or **qué** in each of the following questions. Circle your answer.

a ¿ **Cuál** / **Qué** es tu asignatura preferida?

b ¿ **Cuál** / **Qué** has hecho?

c ¿ **Cuál** / **Qué** te gustaría beber?

d ¿ **Cuál** / **Qué** de los coches preferirías?

e ¿ **Cuál** / **Qué** necesitas hacer antes de empezar?

2 Complete each question using the words from the box. Use each word **once**.

a ¿ .... tiene mis tijeras?

b ¿ .... aprenderás a pensar en los demás?

c ¿ .... está tu colegio?

d ¿ .... es tu barrio?

e ¿ .... no dijiste nada?

f ¿ .... tartas necesitamos para la fiesta?

g ¿ .... una persona ambiciosa?

Dónde
Quién
Por qué
Cuántas
Cómo
Es
Cuándo

3 Translate these questions into **Spanish**.

a How much does the television cost? ....

b At what time are you (inf., sing.) going to arrive? ....

c Do you (form., pl.) like swimming? ....

d How old is your (inf., pl.) grandfather? ....

e How are they going to celebrate? ....

f For how long will she be in Chile? ....

g What time is it? ....

h Do you (form., sing.) have a ruler? ....

i What colour is your (inf., sing.) uniform? ....

Section 12 — Grammar

Answers

The answers to the translation questions are sample answers only, just to give you an idea of one way to translate them. There may be different ways to translate these passages that are also correct.

Section 1 — General Stuff

Page 1: Numbers

1   a) 48   b) second floor   c) 25

2   a) tercer
    b) ochocientos setenta y cinco
    c) mil novecientos cuarenta y tres

3   a) 2003   b) about 190   c) 27

Pages 2-3: Times and Dates

1   a) a las nueve   d) a las tres menos veinte
    b) a las diez y media   e) a las cuatro menos diez
    c) a la una menos cuarto

2   a) today
    b) tomorrow morning
    c) every two days
    d) helps her little brother with his homework
    e) He's gone camping this week.
    f) on Saturday

3   a) 30th September   c) 14th May
    b) his brother   d) 2nd June

4   A & D

5   a) el lunes veintiséis de junio
    b) esta tarde a las ocho y cinco
    c) mil novecientos setenta y seis
    d) mañana a la una menos diez
    e) el sábado quince de agosto

Pages 4-5: Opinions

1   a) Loves football, doesn't like / hates rugby and hockey.
    b) Loves / likes tennis and hockey, doesn't like golf.

2   a) loves   c) hates   e) likes
    b) doesn't like   d) loves

3   a) entertaining
    b) She hopes to publish a book.
    c) He doesn't have time.
    d) He likes it. / It's an exciting experience.

4   — ¿Qué piensas de este artículo en el periódico?
    — Pienso/creo que el periodista tiene unas buenas ideas.
    — No estoy de acuerdo. Pienso/creo que el otro artículo es mejor.
    — ¿Cuál es tu opinión del libro que ha leído?
    — Lo encuentro estupendo.

Section 2 — Me, My Family and Friends

Pages 6-7: About Yourself

1   C & E

2   a) Ainhoa   c) 2002
    b) 30th November   d) the north of Spain

3   Mi nombre es Miguel y mi familia y yo vivimos en Galicia en el norte de España. Vivimos aquí desde hace cuatro años. Antes, vivíamos en Valencia. Mi cumpleaños es el cinco de mayo. Nací en mil novecientos noventa y nueve. En el futuro, me gustaría vivir en Portugal.

4   B; F; A; E; C; D

Page 8: My Family

1   a) Iris   b) Alina   c) Euan

2   En mi familia, hay muchos jóvenes. Hay muchos niños también. Tengo tres hermanas menores y un hermanastro mayor que se llama Mateo. Vivía con su padre pero ahora vive con nosotros. El año que viene, mi abuela vendrá a vivir aquí también.

Pages 9-10: Describing People

1   "Why are you sad, Ana?" asked her friend.
    "I am very ugly and I have freckles," she replied.
    "Don't be silly! Look at your curly hair and your blue eyes. Lots of people are very jealous of you."
    "Thanks. But I would like to be taller and have longer hair."

2   a) glasses
    b) brown eyes; black hair; curly hair
    c) short hair; curly hair

3   a) C   b) A   c) C

4   Mi novia Blanca es más baja que yo y tiene el pelo rubio y los ojos marrones. Creo que es guapa. Soy de altura mediana y tengo el pelo corto y moreno. Me gustaría tener el pelo azul, pero mi padre me dijo que odia el pelo azul. Es viejo y no me entiende.

Page 11: Personalities

1   a) toda la vida
    b) Les critican por su mal comportamiento.
    c) Siempre piensa antes de actuar.

2   a) B   c) D   e) G
    b) E   d) A

Page 12: Pets

1   I have a black hamster called Elvis. I bought him two years ago. Elvis makes me laugh a lot because he's a bit silly. He sleeps in his house during the day and comes out at night to eat and play. Sometimes he makes a lot of noise and doesn't let me sleep. In an ideal world, I would have several hamsters, but at the moment I don't have enough space.

2   a) Issah   b) Begoña   c) Aina

Page 13: Style and Fashion

1   C, E & G

2   En mi opinión, es muy importante estar en la onda y me encanta vestirme como mis famosos preferidos. Recientemente compré unos pantalones de seda y una bufanda de lana. Después del colegio/instituto, me gustaría ser diseñador/a. Sería perfecto tener mi propio negocio.

Page 14: Relationships

1   Cuando era pequeño/a, me llevaba bien con mis padres, pero ahora prefiero hablar con mis abuelos. Son más comprensivos. Por eso, preferiría vivir con ellos. Creo que me llevaré mejor con mis padres en el futuro. No nos pelearemos tanto y serán más sensibles.

2   a) They're understanding; they help her with her homework.
    b) One from: because she always causes problems; she is selfish; she thinks she's the most important person in the world; she's sometimes rude.
    c) Because she hasn't spoken to them with respect.

Page 15: Socialising with Friends and Family

1   a) Hay una falta de alojamiento barato.
    b) Los padres tienen más gente que les puede ayudar en casa.
    c) Two from: Muchos jóvenes prefieren socializar con sus amigos que estar en casa con sus padres; los jóvenes no contribuyen mucho a la vida de la familia; hay una falta de espacio personal.

2 The majority of the time, I'm quite a sociable person. However, yesterday I decided to stay at home with my younger sister because I was in a bad mood and I didn't feel like going out. Next Saturday I will go to a jazz concert with my best friend. We'll have a great time!

Page 16: Partnership

1 **a)** A & C **b)** B & D

2 Mis padres no se llevan muy bien. El mes pasado, decidieron que sería mejor separarse. Viviré con mi madre durante la semana y visitaré a mi padre los fines de semana. Lo bueno es que me llevo bien con mi hermano mayor. Confío en él, y tiene buen sentido del humor.

Section 3 — Technology in Everyday Life

Pages 17-18: Technology

1 Mis padres odian la tecnología. El año pasado, compraron un ordenador, pero solo lo usan para mandar correos electrónicos. Creo que es esencial saber cómo navegar por la red. Uso Internet para descargar música. No podría vivir sin Internet porque es una parte de mi vida muy grande.

2 **a)** Nuestros hábitos han cambiado dramáticamente.

   b) reducir el miedo que ciertas personas tienen a la tecnología

   c) cualquier persona en España

   d) Any two from: usar buscadores; encontrar información; hacer las compras; mandar correos electrónicos; recibir correos electrónicos.

3 **a)** homework / studying

   b) shopping

   c) organise her bank accounts

   d) people can steal your information / passwords

   e) there are many dangerous people (who can lie to you)

4 El Internet / La red no es peligroso/a, pero es importante saber cómo usarlo/la bien. Mi teléfono móvil tiene una contraseña para proteger mi información. Cuando mis padres me dieron mi ordenador, me hablaron sobre los riesgos del Internet. Deberíamos aprender más sobre los peligros del Internet en el colegio porque mucha gente no sabe nada sobre ellos.

Pages 19-20: Social Media

1 "Have you seen Luisa's wall recently?" asked Naiara.
"No, why?" said Sara.
"Because she's just posted some very silly photos and I think there's a photo of you."
"Really? I will have to ring her right now to ask her why she did it."
"Yes, of course. Luisa never thinks before she posts things on social networks."

2 A todos mis amigos les gusta usar las redes sociales. Yo las uso desde hace tres años. Cuelgo fotos y charlo con mis amigos. Me gustaría empezar un blog sobre mis grupos preferidos. He leído otros blogs sobre ellos y pienso que podría hacerlo mejor.

3 My friend loves social networks. I'm fed up with not seeing him, so I said to him:
"Why don't you come and have a coffee with us? You spend all your time on your laptop! It's important to do other things once in a while, Fernando! I know that social networks have advantages, but you're obsessed!"

4 **a)** P **b)** P+N **c)** N

Section 4 — Free-Time Activities

Page 21: Books and Reading

1 **a)** Bea **b)** Erik **c)** Marlon

2 Me encantan las novelas policíacas. Cuando era más pequeño/a / más joven me daban miedo pero ahora me gustan mucho. Cuando sea mayor, me gustaría escribir novelas. Creo que sería divertido pasar todo el día pensando en ideas para libros. Sin embargo, no soy muy paciente, así que solo escribiría libros cortos.

Pages 22-23: Music

1 "Do you want to go to a concert with me next Saturday? It's a classical music concert."
"Sorry, I hate classical music. I would go with you if it were a rock music concert."
"Why don't you like classical music?"
"It always seems a bit boring. I'm very sorry."

2 **a)** sang; plays the clarinet; be a professional musician

   b) played the flute; listens to music; go to a concert

3 La música es muy importante para mí. Toco la guitarra y tocaba el piano. Mi género preferido es la música rap, pero a veces la letra es violenta. El mes que viene voy a ir a un concierto. Las entradas son caras, pero creo que lo pasaremos bien.

4 B & E

Page 24: Cinema

1 Me gusta ir al cine. Vi cuatro películas el mes pasado. Me gustan muchos géneros, sin embargo mis películas preferidas son las películas de terror porque son emocionantes. Mis amigos prefieren las películas románticas, pero las encuentro un poco aburridas. La semana que viene, iré a ver una película de ciencia ficción con mi hermano. Empezará a las seis y media.

2 **a)** comedies **c)** the soundtrack

   b) his cat **d)** because they don't frighten her

Page 25: TV

1 Me gusta ver la televisión por la mañana y después del colegio. Por la tarde, veo las noticias para saber lo que está pasando en el mundo. El fin de semana pasado, vi demasiados concursos y no tuve tiempo para hacer mis deberes. El fin de semana que viene, solo veré un programa.

2 **a)** Tomás

   b) Carlos

   c) Because she's in suspense about what's going to happen

Page 26: Food

1 **a)** P; P+N **b)** N; P **c)** P; P+N

2 **a)** They're traditional products. / They've been part of the Spanish diet for centuries.

   b) the advanced technology used to create the dishes

   c) The food is expensive.

Page 27: Eating Out

1 **a)** Two from: una limonada; grande; con hielo

   b) el filete

   c) el filete con verduras y patatas fritas

   d) un helado de fresa

2 Yesterday, we went to a restaurant and we had a good time. For the starter, I ordered a salad with olives. Then for the main course, the waitress recommended tuna with vegetables to me, but I didn't like it because the fish was too salty. As I hadn't eaten much, I ordered an enormous ice cream with chocolate and strawberries, and to finish, a coffee with milk.

Pages 28-29: Sport

1 A mi familia le gusta ver el deporte en la televisión. Generalmente no somos muy deportistas, pero mi hermano jugaba al rugby. De vez en cuando, juego al tenis con mis amigos o vamos a la piscina. El año que viene, jugaremos al hockey en el colegio, pero yo preferiría hacer deportes de riesgo.

2 "Why wouldn't you like to go canoeing? It's an exciting and fun sport."
"It seems like a very difficult and dangerous sport to me."
"It's true that you can hurt yourself. A friend of mine broke his arm a year ago. If you prefer, you could go to the sports centre to play basketball or badminton."

3 **a)** sports instructor **b)** waiter / waitress **c)** lifeguard

4 **a)** el tenis

Answers

b) el atletismo, la natación

c) el fútbol, el rugby, la natación

Section 5 — Customs and Festivals

Pages 30-32: Customs and Festivals

1 a) La fecha exacta cambia cada año.

b) solemnes, impresionantes

c) Habrá mucha gente por las calles.

2 a) D   **c)** G   **e)** F

b) H   **d)** C

3 Aquí en España tenemos que esperar hasta el seis de enero para recibir nuestros regalos. Cuando era pequeño/a recibía juguetes, pero ahora la gente me da dinero. El año que viene, habrá una fiesta en nuestra casa, así que tendremos que prepararnos. Comeremos comida tradicional y pasaremos tiempo con nuestra familia.

4 A & C

5 a) A   **b)** C   **c)** B

6 Ayer aprendimos sobre algunas fiestas españolas. El Día de los Inocentes tiene lugar el 28 de diciembre en España. Es un evento religioso, pero es divertido también. Me encantaría ir a Buñol con mis amigos para participar en La Tomatina. Pienso / creo que sería muy interesante pero no tengo suficiente dinero para ir este año.

Section 6 — Where You Live

Pages 33-34: Talking About Where You Live

1 O; A; L; B; F; K; J; D

2 a) Hay muchas zonas antiguas que son estupendas.

b) 1. visitar el mercado / comprar productos tradicionales

2. visitar el museo

3. ir a la bolera

c) La tienda más cercana está a unos treinta kilómetros.

3 Vivo en el campo. Es muy hermoso. Cuando era joven, jugaba en el bosque todos los días después del colegio. En nuestra aldea hay una biblioteca, pero pronto habrá un polideportivo también. Mis amigos preferirían vivir en la ciudad pero pienso que está sucia. Mi aldea es segura y tranquila.

4 V; F; V; V

Page 35: The Home

1 We live next to a very nice family. We have a big semi-detached house with four bedrooms. Our garden is more beautiful than our neighbours' garden, but they have a swimming pool. My bedroom is on the second floor and it has green walls and a small bed. My favourite room is the lounge because it's where I relax.

2 a) A, E & F

b) B, C & D

Pages 36-37: What You Do at Home

1 Tengo que ayudar en casa porque mi madre es muy estricta. Me da una paga, pero se olvidó dármela la semana pasada. Lavé los platos y mi hermana preparó la cena. La semana que viene pasaré la aspiradora y mi hermana planchará. No me importa poner la mesa, ¡pero odio sacar la basura!

2 Yesterday, I was at home and I had to do lots of chores. I got up at seven o'clock, I washed my face and I got dressed. First, I made my bed and I tidied my room. After having lunch, I cleared the table and then, I walked the dog and took the rubbish out. Finally, I cut the grass. After doing so many things, I went to bed at half past eight. I was really tired!

3 a) No hace nada. / No ayuda en casa.

b) porque su padre no vive en casa

c) Any two from: quita la mesa; arregla su dormitorio; saca la basura.

d) Prepara la cena.

4 a) It's good practice for life.

b) Everything will seem easier. / He'll know how to do chores.

c) nothing

d) 7 / every day

e) Two from: does the vacuum cleaning; does the shopping; washes the dishes.

Pages 38-39: Clothes Shopping

1 a) a watch for her husband

b) gold and silver

c) 20%

d) by credit card

e) Do you want me to put the receipt in the bag?

2 Estaba en unos grandes almacenes hace unos días. Vi unos zapatos preciosos, pero me quedaban pequeños. Desafortunadamente, cuando pregunté a la dependienta, me dijo que eran los únicos que tenía. Voy a ir a otra tienda mañana porque no puedo vivir sin ellos.

3

Sales assistant:	Hello, how can I help you, sir?
Customer:	I would like to try on the blue shirt that I saw here yesterday. I really liked it.
Sales assistant:	Okay, what size do you need?
Customer:	42, please.
Sales assistant:	Okay. I'll bring it to you straight away.
Customer:	Thank you. How much does it cost?
Sales assistant:	It costs thirty euros. You can pay in cash or by credit card.

4 a) some sunglasses

b) She wants a refund because the sunglasses were broken.

c) They can't give refunds, but she can exchange them.

Page 40: More Shopping

1 Ayer fui al supermercado para comprar algunas cosas para mi padre. Compré medio kilo de naranjas, quinientos gramos de uvas, una caja de manzanas, diez latas de atún, un trozo de queso y una botella de zumo de melocotón. Mañana tendré que ir otra vez porque no tenemos pan.

2 Today I have a long list of things to do. First, I have to go to the department store to return some black socks. My grandmother needs a new coat, but I'm going to buy it online and make the most of the home delivery service. Finally, I have to take a dozen cakes to my aunt and uncle's house. I should start right now!

Page 41: Giving and Asking for Directions

1 a) No + he left home early / there was an accident on the way.

b) Yes + the woman said he was close / he only needed to take a road on the left and he'd find the right road at the end of that street.

c) Yes + his girlfriend said they weren't there / that there was a traffic jam on the road.

2 a) Va a jugar al bádminton.

b) la biblioteca y la iglesia

c) en la misma calle que el polideportivo, en la esquina

Page 42: Weather

1 Hoy hace buen tiempo. La semana pasada, hubo tormenta y llovió durante tres días. Lo peor fue que no pude salir con mis amigos. Vi el pronóstico anoche y dijeron que mañana hará sol y viento aquí en el norte.

2 North: the temperature will drop; chance of rain
South: clear; windy (all day)
East: humid (in the morning); showers
West: thunder and lightning (to start the day); sunny (at midday)

Section 7 — Social and Global Issues

Pages 43-44: Environmental Problems

1 a) C   **b)** B   **c)** A

2 a) Leire   **b)** Ryan   **c)** David

Answers

3 En mi opinión, hay muchos problemas con el medio ambiente. Debido al efecto invernadero, las temperaturas han aumentado mucho. Mi abuela me dijo que cuando ella era más joven, nevaba cada invierno, pero ahora no nieva mucho. En el futuro, creo que habrá más sequías.

4 B & D

Pages 45-46: Problems in Society

1 a) social inequality

b) Any two from: buy food; buy clothes; heat their homes

c) prejudice

d) violence (among young people)

2 Creo que el desempleo es un gran problema en mi pueblo. Hace un año, mi madre perdió su trabajo y fue muy difícil encontrar otro. Lo malo del desempleo es que contribuye a la desigualdad social. Me encantaría cambiar la situación en mi pueblo.

3 "I hope you're not going to go out with those boys! I think they're very rude, Pedro."
"Don't worry, I'm not going to go out with them. Now I know that they're violent. The other day, they bullied a woman in the street. They were very aggressive and she believed that they were going to hurt her. I didn't like that at all, and now we're not friends."

4 a) A   **b)** B   **c)** B

Pages 47-48: Contributing to Society

1 En casa, reciclamos cartón y reutilizamos las bolsas de plástico. Cuando era pequeño/a, no me gustaba reciclar pero ahora pienso que es importante proteger el medio ambiente. Siempre apago las luces y la televisión. En el futuro, creo que utilizaremos más energía renovable.

2 Hello! I'm Nuria and I work for a charitable organisation here in Villarrobledo. Because of the economic crisis here, there are many people who are unemployed. We help them to find clothes, books and toys for the children and we give them information about the jobs that there are. It's important that we do something to help other people.

3 a) E   **c)** C

b) C   **d)** C+E

4 a) Now: use plastic bags; Future: offer fabric bags.

b) Now: transport products from Madrid to Barcelona by lorry; Future: make products in Barcelona instead of Madrid.

Page 49: Global Events

1 a) inactiva   **b)** acoger   **c)** buenas oportunidades

2 A few months ago, my friend Max started a global campaign because he wants to help poor communities. I told him that it would be a good idea to use / make use of social networks as part of his campaign. I'm going to help him create a web page too.

Section 8 — Lifestyle

Page 50: Healthy Living

1 a) C   **b)** B

c) Algunos cereales contienen mucho azúcar.

2 Pienso que es importante mantenerse en forma. Cuando era joven, era muy perezoso/a. Nunca hacía ejercicio y comía comida basura. Ahora corro o nado al menos tres veces por semana y me siento mejor. Sin embargo, todavía tengo que comer una dieta más equilibrada. Intentaré comer cinco frutas cada día y beberé más agua.

Page 51: Unhealthy Living

1 "Do you know anyone who takes drugs?"
"No, but my mother's a doctor, and she has worked a lot with people who are addicted to drugs."
"Well, what did your mother say to them about drugs?"
"She told them that it's not worth the trouble taking drugs because they make you feel awful. What's more, they cost lots of money and they can even kill you."
"It's true. I would never take drugs."

2 a) B   **c)** E

b) C   **d)** G

Page 52: Illnesses

1 Fui a la médica la semana pasada porque tenía dolor de cabeza, pero dijo que debería ir a la farmacia. Me sentí mucho mejor el miércoles. Sin embargo, hoy estoy muy cansado/a y tengo dolor de espalda. No he ido al trabajo porque necesito descansar. Si no me siento mejor pasado mañana, volveré a la médica.

2 "Hello, madam. How can I help you today?"
"I feel ill. My throat hurts a lot and I have stomach ache."
"Let's see... I recommend that you try to rest and take this medicine. I'm going to give you a prescription. Apart from this, I can't do anything else. If you want to get better, you need to relax."
"Okay, thank you for your help, Doctor. Goodbye."

Section 9 — Travel and Tourism

Page 53: Where to Go

1 Mi país preferido es Gales porque hay muchas montañas y los galeses son muy simpáticos. Otra ventaja es que es fácil visitar algunos pueblos en tren. Me encantaría ir a Conwy en el futuro. Sin embargo, la última vez que fuimos a Gales, ¡llovió la semana entera!

2 a) the south

b) Germany

c) Two from: spent about 7 hours on the beach; got a tan; did some water sports.

d) a group of young Irish people

Page 54: Accommodation

1 a) A, B & E   **b)** F, H & I

2 Normalmente nos quedamos en un albergue juvenil porque no cuesta mucho dinero. Nos quedamos en un albergue juvenil en Francia el año pasado y conocimos a gente de Brasil y de Australia. Lo malo de quedarnos en un albergue juvenil es que tenemos que compartir un cuarto de baño, y a veces no hay aire acondicionado. El año que viene nos alojaremos en un camping.

Page 55: Getting Ready to Go

1 I usually pack my suitcase the week before travelling. The most important thing is to take your passport and sun cream if you're going to a country where it's sunny. Normally, my mother puts all the passports and her driving licence in her bag so that we don't lose anything. This summer, my parents will reserve a taxi to take us to the airport. On the aeroplane, I will listen to music and my father will read his guidebook.

2 a) February

b) because her husband doesn't like to travel far by plane

c) get a tan

d) Rome / the capital of Italy

e) €495 per person

Page 56: How to Get There

1 Si quieres ir a muchas ciudades en España, es una buena idea ir en autobús porque es barato y cómodo. Además, podrás conocer a gente nueva durante el viaje. Otra opción es viajar en tren o en avión porque suele ser más rápido. Cuando visité pueblos pequeños, fue más fácil alquilar un coche y conducir por el campo.

2 The most stressful journey of my life was last year. We had to go to the airport by bus, but unfortunately, there was a traffic jam on the motorway, so we arrived quite late. Then they told us that the flight had been cancelled due to snow and that we would have to wait for some seven or eight hours. How awful!

Answers

Page 57: What to Do

1 a) C   **c)** B
  b) D   **d)** A

2 a) P; N; P
  b) Two from: sacar fotos; mirar las tiendas; comprar recuerdos

Page 58: Practical Stuff

1 a) She couldn't describe the person who had stolen her phone.
  b) Her mobile phone was insured.
  c) She needed them to give her their phone numbers.

2 Yesterday my friend had an accident. He was driving along a road when someone opened the door of a car that was parked on the pavement. He crashed into the door, but at least the person who opened it hadn't got out of the car. He's still very worried about the incident, but tomorrow he's going to take the car to the garage so that they can repair it.

Page 59: Talking About Holidays

1 En primavera, iré a Canadá con mi familia. Empezaremos nuestro viaje en el este, alquilaremos un coche y viajaremos hacia el oeste. Nos alojaremos en hoteles y a veces nos iremos de camping. Me gustaría hacer muchas excursiones ya que son buenas oportunidades de sacar/hacer fotos.

2 a) She found it really funny.
  b) There are lots of activities / you can choose what to do.
  c) Two from: there weren't any arguments; they didn't have to come out of the staffroom to look after the students; everyone's still friends.

Section 10 — Current and Future Study and Employment

Page 60: School Subjects

1 a) Three from: Maths, English, Science and French
  b) choose subjects he likes because it'll be easier to study them
  c) it's fascinating to learn about the past

2 a) N   **c)** N
  b) P   **d)** P+N

Page 61: School Routine

1 Lessons start at ten to nine, but I prefer to be in school a bit earlier to talk to my friends. We have six lessons per day and we have one hour for lunch. Lessons finish at twenty to four. I think it would be better to have less time for lunch and return home earlier, but obviously I can't change the timetable!

2 a) B   **b)** C   **c)** B

Page 62: School Life

1 Voy a un colegio mixto. Hay unos novecientos alumnos aquí. Mi colegio está lejos de mi casa, entonces tengo que coger el autobús. Antes, iba a un colegio religioso. Prefiero este colegio porque tengo más amigos, pero en un mundo ideal, no tendríamos que llevar uniforme.

2 My school has some very modern facilities. There are interactive whiteboards in the classrooms and everything is very clean and new. There are workshops, laboratories and a sports field. Also, they've just finished building new changing rooms because the old ones were dirty and smelt very bad.

Page 63: School Pressures

1 Me gusta mi instituto, pero a veces es estresante. El año pasado, los profesores no nos dieron muchos deberes, pero ahora tenemos más. Hay mucha presión porque mis padres dicen que si no apruebo mis exámenes y no saco buenas notas, no podré conseguir un buen empleo en el futuro.

2 a) a teacher dedicated to supporting the victims of bullying
  b) He can't go to the toilet during lessons.
  c) one hour per day
  d) Two from: more time for sport; more time to relax; they'd be less stressed; they'd find subjects more interesting.

Page 64: School Events

1 a) B   **b)** D

2 Me encantan las excursiones del colegio. Siempre es divertido viajar a algún sitio con tus amigos. El año pasado fui al campo con mi clase de geografía. En el año once puedes hacer un intercambio. Iremos a España y nos quedaremos con familias españolas. Es una buena manera de mejorar tu español.

Page 65: Education Post-16

1 Después de mis exámenes, me gustaría ser aprendiz. El verano pasado, tuve dos semanas de experiencia laboral en una empresa pequeña. Fue muy interesante y aprendí mucho. No quiero hacer el bachillerato porque los exámenes son muy estresantes para mí y no me gusta hacer los deberes.

2 a) Elliot   **c)** Elliot
  b) Zoe   **d)** Gabriel

Page 66: Career Choices and Ambitions

1 a) P — big salary; N — stressful
  b) P — working with numbers; N — boring to be in an office all day
  c) P — helping people / rewarding; N — working at night / weekends

2 El mes pasado, empecé a trabajar a tiempo parcial en una tienda. Es un empleo bastante divertido y es importante aprender cómo trabajar en equipo. Es más fácil conseguir un empleo si ya tienes experiencia laboral. Siempre ahorro el dinero que gano. Pienso que lo gastaré en unas vacaciones después del bachillerato.

Page 67: Languages for the Future

1 I didn't have the opportunity to learn any languages in school. When I started working in an Italian restaurant, the chef/cook taught me a bit of his language. I'm going to look for an Italian course because it would be very interesting. I think it's essential that everyone learns at least one foreign language.

2 Ayer estaba hablando con el hermano de mi amigo/a sobre los idiomas. Él habla tres idiomas — inglés, francés y alemán. Dijo que le gustaba aprender idiomas en el instituto y luego los estudió en la universidad. A veces encuentro las lenguas/los idiomas difíciles, pero es divertido aprenderlas/los también. En el futuro me gustaría traducir libros.

Page 68: Applying for Jobs

1 I have filled in various job applications this summer. I have to find a job because I want to travel to Brazil next year and I need money. It's isn't necessary for it to be a very well-paid job and the promotion prospects don't matter at all. However, I don't have a car, so the place would have to be close/near to a train station.

2 a) Una agencia de viajes
  b) en casa
  c) Mandar una carta de solicitud a Sam Mapek.

Section 11 — Literary Texts

Pages 69-70: Literary Texts

1 A & C

2 E; A; F; C

3 a) B   **b)** A   **c)** C

4 a) Two from: sitting on the sofa; they haven't spoken for a long time; Concha is telling the narrator about her life
  b) Two from: silent, resigned, sad
  c) the past

Answers

Section 12 — Grammar

Page 71: Nouns

1. b) hermano, zapatos g) leones, tigres
   c) deberes h) lunes, pasteles
   d) bolígrafos i) costa, campo
   e) abuelo j) padres, amigos
   f) regalo

2. a) m i) m
   b) m j) m
   c) f k) f
   d) m l) f
   e) m m) f
   f) f n) m
   g) f o) f
   h) m p) f

3. a) las fresas i) las mujeres
   b) los sábados j) los relojes
   c) los conejos k) las luces
   d) los peces l) los limones
   e) los meses m) los jueves
   f) los jardines n) los exámenes
   g) las edades o) las camisas
   h) las narices

4. a) días d) flores
   b) animales e) profesores
   c) paredes

Page 72: Articles and Indefinite Adjectives

1. a) las d) las
   b) El e) Los
   c) el

2. a) un, una, unas
   b) un, una
   c) un, unos

3. a) Nos gustan el jamón y el queso.
   b) Los sábados, me levanto tarde.
   c) En el futuro, quiero ser camarero.
   d) Quisiera unos tomates, por favor.
   e) La señora García es mi profesora.
   f) No tengo ordenador.
   g) Lo aburrido es que no podemos salir.

4. a) otra e) cada
   b) cada f) todos
   c) — g) —
   d) todas h) otro

Pages 73-75: Adjectives

1. a) fáciles e) emocionante
   b) vieja f) mucha
   c) Tantas g) fenomenal
   d) castaño, largo, liso h) estupenda

2. b) la casa pequeña e) el hombre pequeño
   c) los ojos pequeños f) los sombreros pequeños
   d) las manzanas pequeñas

3. a) grande f) felices
   b) gordo g) difícil
   c) delgadas h) bonitas
   d) fáciles i) peligroso
   e) alto j) hermosa

4. a) Vi tres casas **grandes**.
   b) Compró tres blusas **naranja**.
   c) Quisiera un abrigo **lila**.
   d) Las paredes son **azules**.
   e) Conocí a cuatro personas **tristes**.

5. a) Vivo en un piso pequeño.
   b) Maria es una niña feliz.
   c) Mis profesores son simpáticos.
   d) El fútbol es fácil.
   e) Compra tres libros interesantes.
   f) Ben y Adam son jóvenes.

6. a) La niña come otra manzana.
   b) Muchos niños juegan al fútbol.
   c) Me gustó la primera película.

7. a) Hace **buen** tiempo.
   b) No había **ningún** coche.
   c) Es un **mal** profesor.
   d) Probé un **buen** zumo.
   e) **Alguna** gente cree que es una **mala** idea.

8. a) Correct c) Incorrect
   b) Incorrect d) Correct

9. a) Mis d) tus
   b) vuestro e) Sus
   c) Nuestros f) su

10. a) mías c) tuyos
    b) vuestra d) nuestro

11. a) Vivo en **esta** calle.
    b) Viven en **aquella** calle.
    c) Quisiera **esas** patatas.
    d) ¿Os gustaría **este** libro?
    e) ¿Te gusta **ese** castillo?
    f) No, prefiero **aquellos** castillos.

12. a) Ese es el profesor **cuyas** clases son siempre interesantes.
    b) Esa es la mujer **cuya** ventana está rota.
    c) Ese es el bombero **cuya** mujer es ingeniera.
    d) Aquella es la chica **cuyo** novio es de Glasgow.
    e) Es la familia **cuyos** perros tienen quince años.

Pages 76-77: Adverbs

1. a) lentamente e) simplemente
   b) normalmente f) obviamente
   c) ruidosamente g) completamente
   d) claramente h) honestamente

2. a) Hablan muy **tristemente**.
   b) Tenemos que escuchar **cuidadosamente**.
   c) Conduce **peligrosamente**.
   d) Canta **dulcemente**.

3. a) bien c) deprisa
   b) mal d) despacio

4. a) Siempre bailaba **con elegancia**.
   b) La besó **con pasión**.
   c) Vi la película **con tristeza**.

5. a) Cuándo e) Cómo
   b) Cómo f) Dónde
   c) Dónde g) Cómo
   d) Cuándo h) Cuándo

6. a) ¡Nuestros primos están **aquí**!
   b) Había pájaros **por todas partes**.
   c) **Allí**, comen paella.
   d) **Aquí**, bebemos mucho té.
   e) Todavía estamos muy **lejos**.

f) Fueron **allí** el año pasado.

g) Me gusta vivir **aquí**.

7 a) Voy a hacer mis deberes **en seguida**.

b) Me despierto y **después** me levanto.

c) Mi primo **siempre** ha comido así.

d) **A veces** es difícil saber la respuesta.

e) Haz las compras, y **mientras tanto**, iré allí.

f) **Ahora** estoy listo.

Pages 78-79: Comparatives and Superlatives

1 a) Louis es simpático pero Sid es más simpático.

b) Yo soy más alto que mi primo.

c) Son más inteligentes que yo.

d) Él es el más cortés de sus hermanos.

e) Compré los zapatos más caros.

2 a) Ahora él es **menos importante** que tú.

b) Mi ciudad es **menos hermosa** que París.

c) El rey es **el menos pobre** de mi país.

d) El francés es **menos fácil** que el español.

e) Esta clase es **la menos aburrida** del día.

3 a) Nicholas es **tan** inteligente como Carla.

b) Mis zapatos están tan sucios **como** los tuyos.

c) Nuestra casa es **tan** limpia como la tuya.

4 a) Las fresas son más deliciosas que las uvas.

b) Barcelona es tan interesante como Madrid.

c) El bádminton es menos aburrido que el hockey.

d) Mi padre es tan estricto como mi madre.

5 a) el peor   **d)** mejores

b) el mejor   **e)** las peores

c) menor   **f)** mayor

6 a) Gabriel es menor que Naomi.

b) Fui a la mejor fiesta del mundo.

c) El té es peor que el café.

d) Manuel es el mayor de sus amigos.

e) Lo peor es que está lloviendo.

f) Mi idea es mejor que la tuya.

7 a) Claudia habla más rápidamente **que** Irene.

b) A Ian le encanta trabajar. Trabaja **más** alegremente que sus colegas.

c) Mi hijo menor no duerme tan **tranquilamente** como su hermano.

d) Corro más **despacio** que mis amigas. ¡No voy a ganar nunca!

e) Yo canto bien, pero ella canta **mejor**.

f) Él baila **peor** que sus hermanos.

8 a) Elisa studies the most diligently.

b) Julia sings the most happily.

c) José and Luna speak the most clearly.

d) They celebrate the most frequently.

Page 80: Quantifiers and Intensifiers

1 a) Tengo **muchos** primos.

b) Soy pobre. Tengo **poco** dinero.

c) Tienes **demasiadas** faldas.

d) No pude ver porque había **tanta** gente allí.

e) Quisiera **un poco de** mermelada.

f) Hay **bastante** trabajo aquí.

2 a) Para mí, el inglés es bastante difícil.

b) Creo que el rugby es muy aburrido.

c) Normalmente es demasiado honesto.

d) Jodie estuvo muy enferma el lunes.

e) Mi perro no está muy feliz hoy.

f) El edificio es demasiado feo.

g) Es un libro bastante interesante.

h) Cuesta muy poco.

3 a) El campo es hermosísimo.

b) Mi casa es pequeñita.

c) Creo que los patos son feísimos.

d) Pienso que él es guapísimo.

e) El bebé es gordito.

Page 81: Subject Pronouns

1 a) v   **d)** ii

b) i   **e)** iv

c) iii

2 a) ¡Buenos días, señores! ¿Cómo **están**?

b) ¡Hola Lily! ¿**Has** visto a mi hermano?

c) Julio y Carmen, ¿**queréis** ir de compras?

d) Como presidente, usted **debe** hacer más por la gente.

3 a) **Yo** soy bajo/a pero **él** es alto.

b) **Nosotros** queremos arroz, pero **ellos** prefieren patatas.

c) **Tú** hablas francés, pero **yo** hablo español.

d) **Ella** es profesora y **él** es cantante.

e) **Vosotros** podéis ir al concierto, pero **él** no (puede).

4 a) Correct

b) Incorrect. **Él/ella/usted** va al cine una vez por semana.

c) Correct

d) Incorrect. **Usted** piensa que el fútbol es una pérdida de tiempo.

Page 82: Object Pronouns

1 a) Daniel **lo** lava.

b) Samira **la** compró.

c) Ellos **nos** vieron.

d) **Las** encontré.

2 a) Me dio el libro.

b) Le mandé una carta.

c) Os llamé ayer.

d) ¿Les gustaría ir al cine?

e) Nos mostró una foto.

3 a) ¡Llámame pronto!

b) Te estoy viendo. / Estoy viéndote.

c) Os voy a visitar. / Voy a visitaros.

d) Escríbelo, por favor.

e) Nos habló de la noticia.

4 a) Se lo daremos.

b) Me los traeréis.

c) Se la cuentan.

d) Nos la escribes.

Pages 83-84: More Pronouns

1 a) La tarta es para **ti**.

b) Ayer estaba pensando en **ella**.

c) ¿Las zanahorias son para **mí**?

d) ¿Ellas tienen que ir **contigo**?

e) Estábamos hablando de **ti** y de **él**.

2 a) Estamos caminando hacia **ellos**.

b) Hablamos de **usted**.

c) Magda va al cine **conmigo** esta noche.

d) Hay una película sobre **ellas**.

3 a) Fuimos a Valencia, **que** es una ciudad maravillosa.

b) No entiendo **lo que** ha pasado.

c) Esa es la mujer **con quien** fuimos al teatro.

d) El perro **que** vieron no es mío.

e) Aquí está la pintura **de la cual** estoy hablando.

f) **Lo que** quieres es imposible.

Answers

4 a) ¿De quién es este coche?

b) ¿Qué hiciste el fin de semana pasado?

c) ¿Quién te llamó?

d) ¿Cuál es tu dirección?

e) ¿Cuál prefieres?

f) ¿De quiénes son estos abrigos?

5 a) **La mía** es azul.

b) **El tuyo** es muy interesante.

c) **El suyo** es bastante pequeño.

d) **Las suyas** están aquí.

e) **Los nuestros** son grandes.

6 a) **Alguien** me ha robado el bolso.

b) ¿Has hecho **algo** interesante?

c) Vi **a alguien** con el pelo azul.

d) Necesito **algo** más.

7 a) Ese barco es más grande que **aquel**.

b) Estas naranjas están más dulces que **esas**.

c) Aquella playa tiene más arena que **esta**.

d) Estos caballos son más fuertes que **esos**.

e) ¿Quién dijo **eso**?

8 a) No quiero comprar esta falda — quiero comprar esa.

b) Si quieres leer libro, puedes leer aquel.

Page 85: Prepositions

1 a) iv

b) iii

c) v

d) i

e) ii

2 a) Mi colegio está **en** Brighton.

b) **A partir de** julio, estaremos de vacaciones.

c) La camisa es **de** algodón.

d) El sábado, queremos ir **al** polideportivo.

e) El autobús va **desde** Preston **hasta** Wigan.

f) Hay una foto **en** la pared.

3 a) Voy **al** parque.

b) La leche está **entre** el queso y la nata.

c) Soy **de** Swansea.

d) Los zapatos están **sobre/en** la mesa.

e) Las peras están **al fondo de** la tienda.

f) **Los** jueves, vamos **a** la piscina.

g) El bolígrafo está **dentro de** mi estuche.

h) Escuché la canción **en** la radio.

Page 86: 'Por', 'Para' and the Personal 'a'

1 a) El tren **para** Madrid va a salir en diez minutos.

b) Hice esta tarta **para** Melissa, porque es su cumpleaños.

c) Gracias **por** el regalo.

d) Pagué treinta euros **por** los zapatos.

e) Voy al gimnasio dos veces **por** semana **para** mantenerme en forma.

f) No debemos salir porque está **para** llover.

g) El ladrón entró **por** la ventana.

h) Tenemos suficiente dinero **para** tres días.

2 a) Gracias **por** el helado.

b) Este libro es **para** ti.

c) **Por** la tarde, iré al cine.

d) **Para** mí, la playa es preciosa.

e) Necesito el dinero **para** mañana.

f) Vi el coche **por** la ventana.

g) Lisa va a Chile **por** dos semanas.

3 a) Correct

b) Descubrió **a** los niños.

c) Llamé **a** mi profesor.

d) Correct

e) Pregunté **a** la dependienta.

f) Visitarán **a** su abuela.

Page 87: Conjunctions

1 a) i

b) iv

c) ii

d) v

e) iii

2 a) Estudian geografía **e** inglés.

b) Tiene dos **o** tres manzanas.

c) Cuesta setenta **u** ochenta libras.

d) Quiero jugar en el parque **e** ir de compras.

3 a) Comió tres peras **y** dos piñas.

b) Quiero dar un paseo **pero** está lloviendo.

c) Yo cocinaba la cena **mientras** ellos iban al parque.

d) Puedes hacerlo **si** quieres.

e) Voy en monopatín **cuando** hace sol.

f) **Como** eres tan inteligente, tendrás una solución.

4 a) Fui al cine con Pablo **e** Iván.

b) Mi comida preferida no es el pollo, **sino** el queso.

c) Mi hermano canta **mientras** se ducha.

d) Quisiera un plátano **o** una manzana.

e) Hace calor, **así que** quiero un helado.

Pages 88-89: Present Tense

1 a) tener

b) querer

c) vivir

d) cantar

e) escribir

f) pensar

2 a) Yo **visito** a mi amigo.

b) Tú **visitas** muchas ciudades.

c) La mujer **visita** a su tía.

d) Fred y yo **visitamos** a nuestros abuelos.

e) ¿Vosotros **visitáis** a Naomi?

f) Esther y Sam **visitan** París.

3

English	Spanish	English	Spanish
I drink	bebo	we drink	bebemos
you (inf., sing.) drink	*bebes*	you (inf., pl.) drink	bebéis
he/she/it drinks	bebe	they drink	beben
you (form., sing.) drink	bebe	you (form., pl.) drink	beben

4 a) Sita y Raúl **escriben** muchas cartas.

b) Alejandro, ¿**escribes** una novela?

c) Yo **escribo** cerca del mar.

d) ¿Usted **escribe** mucho?

5 a) Como pollo todos los días.

b) Vengo aquí desde hace cuatro años.

c) Esperamos desde hace una hora.

6 a) I can help your grandmother.

b) We want to go shopping.

c) The car costs a thousand pounds.

d) Classes start at eight o'clock.

e) I wake up at seven o'clock.

f) We go to bed at ten o'clock.

7 a) Yo **pienso** que él tiene un perro.

b) **Almuerzo** a las once.

c) Correct

d) Correct

e) No duermo bien cuando **llueve**.

8 a) Yo no **sé** lo que está pasando.

b) Elisa y Juan **van** a la tienda.

Answers

c) El profesor nos **da** muchos deberes.

d) Los viernes, yo **voy** a Durham.

e) Él **sabe** que no es verdad.

f) Yo te **doy** uno de mis caramelos.

9 a) **Sé** que **tiene** una hermana.

b) Cuando **va** al parque, **juega** al fútbol.

c) **Prefiero** hacer mis deberes en seguida.

Page 90: 'Ser' and 'Estar' in the Present Tense

1 a) Daniel y yo **somos** griegos.

b) Mi padre **es** bombero y mi madre **es** traductora.

c) Boris y John **son** unos jóvenes muy inteligentes.

d) Tú **eres** una persona muy amable.

e) ¿Vosotros **sois** españoles?

f) Yo **soy** más comprensivo/a que mi hermana.

g) Mi tío **es** más alto que mi padre.

h) Eddie y Joshua **son** mis primos.

2 a) El libro **está** en mi mochila.

b) **Estoy** muy cansado/a hoy.

c) Bilbao **está** en España.

d) ¿**Estás** enfermo/a hoy?

e) **Estoy** en el jardín.

f) **Estamos** de vacaciones.

g) ¿Ya **estáis** allí?

3 a) ¡Hola! **Soy** George.

b) No puedo venir a tu fiesta. Todavía **estoy** de vacaciones en Escocia.

c) No **somos** de Valencia, sino de Málaga.

d) Hannah **es** una persona bastante trabajadora.

e) Ethan **está** triste porque ha perdido su dinero.

f) Tú **eres** más bajo que yo.

g) Todas mis primas **son** peluqueras. ¡Qué raro!

h) ¿Por qué **estáis** aquí?

Page 91: Preterite Tense

1 a) lloró   f) escrib**imos**

b) sal**imos**   g) com**isteis**

c) suspend**iste** h) aprob**aron**

d) duró   i) nac**ió**

e) abrí   j) beb**ieron**

2 a) Mercedes, ¿tú **fuiste** a la pescadería?

b) Mis primos y yo **pusimos** la caja en el coche.

c) Yo **traje** mis libros.

d) Vosotras **vinisteis** al espectáculo.

e) Luis **hizo** su maleta anteayer.

f) Tus amigos te **dieron** un sombrero.

g) Lia me **dijo** que Joe estaba triste.

3 a) Compré seis pasteles de la pastelería.

b) Germán vio la televisión durante cuatro horas.

c) Los alumnos hicieron sus deberes.

d) Laura y Pilar me trajeron pan.

e) Vosotros tocasteis la batería.

f) Le di flores a mi abuela.

g) Mi hermano y yo fuimos al parque.

h) Tus padres jugaron al tenis ayer.

i) Viniste a visitarme.

Page 92: Imperfect Tense

1 a) i   d) vi

b) iv   e) iii

c) ii   f) v

2 a) Dormíamos   e) Ponía

b) Había   f) Leíais

c) nadaban   g) Hacía

d) Repasabas

3 a) Visitábamos a nuestra abuela.

b) Eras cocinero/a.

c) Veía películas los viernes.

d) Cantaba en el coche.

e) Nevaba en el campo.

f) Iban a ese supermercado.

g) Hablaba mucho.

h) Comíais mucho chocolate.

Page 93: Preterite and Imperfect

1 a) cantabas   e) dijo

b) fui   f) era

c) cenábamos g) hizo

d) Hacíamos   h) Estaba

2 a) El gato saltó cuando **vio** el perro.

b) **Venía** aquí para visitarte cuando oí un ruido extraño.

c) Rocío **iba** a la tienda mientras tú **volvías** a casa.

d) Estudiaban desde hacía cinco minutos cuando sus amigos **se fueron**.

e) Yo **estaba** en el aeropuerto cuando la encontré.

f) El martes, **decidí** acostarme temprano.

g) Eli **dormía** desde hacía una hora cuando él **llegó**.

3 a) Cuando oí el ruido, estaba en casa.

b) Hacía mucho frío y llovía también.

c) Iban a York cuando vieron el gato.

d) Tenía una chaqueta verde.

e) Fui al parque y perdí mi abrigo.

f) Hacía sol y los pájaros cantaban.

Page 94: Perfect and Pluperfect Tenses

1 a) hablado   g) escrito

b) pedido   h) nadado

c) abierto   i) dicho

d) visto   j) hecho

e) puesto   k) vuelto

f) bebido   l) roto

2 a) He comido una ración de tortilla.

b) Lucía ha escrito una historia interesante.

c) Hemos hecho un viaje a Londres.

d) Has puesto las tazas en el lavaplatos.

e) Han vuelto a casa temprano.

3 a) El examen había empezado.

b) Habías elegido estudiar arte dramático.

c) Habían abierto el monedero.

d) Había comprado el collar en una tienda.

e) Habíamos leído revistas de moda.

4 a) You had broken the windows.

b) Federico had already had lunch.

c) We had seen that film.

d) They had slept on the sofa.

Page 95: Future Tenses

1 a) iii   d) iv

b) v   e) i

c) ii

Answers

2 a) vamos   **c)** voy   **e)** van
    b) vas   **d)** va

3 a) aprenderemos   **c)** cantarás   **e)** mentirán
    b) traerá   **d)** Corregiré

4 a) Buscaré el libro mañana.
    b) Cenaremos en el restaurante de mi padre.
    c) Nos llamarán después del espectáculo.
    d) Pondréis los lápices en la mesa.
    e) Tendrá un paraguas.

Page 96: Would, Could and Should

1 a) Viajaría   **c)** Podría   **e)** Daría
    b) Tendría   **d)** Haría   **f)** Dejaría

2 a) ii   **c)** vi   **e)** iv
    b) v   **d)** i   **f)** iii

3 a) Comería, pero no tiene hambre.
    b) Ayudaría, pero no puede conducir.
    c) ¿Podrías darme esa bufanda?
    d) Deberíamos visitar a Sergio.
    e) Compraría un recuerdo, pero no tengo dinero.
    f) No venderían su casa.
    g) Debería estudiar más.
    h) Alquilaríamos un coche, pero el autobús es más rápido.

Page 97: Reflexive Verbs and Pronouns

1 a) Se   **c)** Me   **e)** Os
    b) Nos   **d)** Te   **f)** Se

2 a) te llamas   **e)** se acuesta
    b) me siento   **f)** se van
    c) nos levantamos   **g)** nos despertamos
    d) os dormís   **h)** se pone

3 a) te has despertado   **d)** se ha levantado
    b) nos hemos puesto   **e)** me he duchado
    c) se han acostado

4 a) Roberto se siente triste.
    b) Nos vamos mañana por la tarde.
    c) Te has vestido.
    d) Mi abuela se llama Luisa.
    e) Se han lavado en el río.

Page 98: Verbs with '-ing' and 'Just Done'

1 a) corriendo   **c)** diciendo   **e)** durmiendo
    b) sirviendo   **d)** siguiendo   **f)** escribiendo

2 a) Estoy charlando con mis amigos.
    b) Está escuchando música en el salón.
    c) Estamos pidiendo unas bebidas.
    d) Estaba leyendo el periódico.

3 a) estaba viendo   **d)** Estábamos trabajando
    b) Estaban mirando   **e)** Estaba en
    c) Estabais cenando

4 a) Acabo de comer diez naranjas.
    b) Acabamos de ganar el concurso.
    c) Acaban de solucionar el problema.

Page 99: Negative Forms

1 a) No escuchas música.
    b) No tomaron una decisión.
    c) No he empezado el ensayo.

2 a) No beberíais la leche.
    b) No preguntaremos al profesor.
    c) No hacía sol ayer.

3 a) No, I don't think that it's a good idea.
    b) They don't know anyone in France. / They know nobody in France.
    c) There's not a single folder.
    d) No, I don't know how to swim.
    e) We don't play the violin any more.
    f) You've seen neither Marta nor Federico. / You haven't seen either Marta or Federico.

4 a) Joe ya no enseña química.
    b) No vamos nunca al parque.
    c) No llevo ni gafas ni un collar azul.
    d) Mis tíos no han escrito ninguna carta.
    e) No había nadie en la cocina.
    f) No queréis comer nada.

Page 100: Passive and Impersonal

1 a) —   **e)** —
    b) fue fundada   **f)** —
    c) —   **g)** será llevado
    d) está pintado   **h)** fueron comprados

2 a) ganado   **c)** lanzada
    b) cultivados   **d)** pesadas

3 a) iii   **c)** ii
    b) i   **d)** iv

4 a) Hay que poner las manzanas en la nevera.
    b) Parece que Enrique está enfermo hoy.
    c) Hay que pagar el alquiler hoy.
    d) Parece que Sandra no quiere comer.

5 a) está nublado   **c)** nieva
    b) truena   **d)** hace sol, llueve

Page 101: Imperative and Subjunctive

1 a) ¡Canta!   **g)** ¡Di!
    b) ¡Abre!   **h)** ¡Ven!
    c) ¡Haz!   **i)** ¡Corre!
    d) ¡Sé!   **j)** ¡Miente!
    e) ¡Salta!   **k)** ¡Ten!
    f) ¡Pon!   **l)** ¡Sal!

2 a) comas   **c)** juegues
    b) Lávate   **d)** dibujes

3 a) Siga   **b)** Gire   **c)** tome

4 a) deje   **d)** haya   **g)** escriban
    b) venga   **e)** diga
    c) esté   **f)** llegues

5 a) enviaras   **c)** tuviera
    b) fuera   **d)** termináramos

Page 102: Asking Questions

1 a) Cuál   **c)** Qué   **e)** Qué
    b) Qué   **d)** Cuál

2 a) Quién   **d)** Cómo   **g)** Es
    b) Cuándo   **e)** Por qué
    c) Dónde   **f)** Cuántas

3 a) ¿Cuánto cuesta la televisión?
    b) ¿A qué hora vas a llegar?
    c) ¿Les gusta nadar?
    d) ¿Cuántos años tiene vuestro abuelo?
    e) ¿Cómo van a celebrar?
    f) ¿Por cuánto tiempo estará en Chile?
    g) ¿Qué hora es?
    h) ¿Tiene una regla?
    i) ¿De qué color es tu uniforme?

Transcripts

Section 1 — General Stuff

Track 01 — p.1

E.g. **F2**: A mí me encanta viajar por España. Hay tantas ciudades maravillosas, pero mi ciudad preferida es Madrid, sin duda. He visitado la ciudad seis veces.

3 a **F2**: ¿Te gusta viajar Carmen?

F1: Sí, lo encuentro muy interesante. Mi país preferido de los que he visitado es Irlanda. Fui por primera vez en 2003. El paisaje es tan pintoresco y la gente es muy agradable.

3 b **F2**: ¿Fuiste a Irlanda en avión? Siempre voy a Madrid en coche. Está a unos ciento noventa kilómetros de mi ciudad.

3 c **F1**: No, fuimos en barco. Cuando cumpla veintisiete años, espero volver a Irlanda.

Track 02 — p.3

3 a **M1**: Nerea, ¿cuándo es tu cumpleaños?

F1: Mi cumpleaños es el treinta de septiembre.

3 b **M1**: ¿En serio? ¡Es la misma fecha que el cumpleaños de mi hermano!

3 c **F1**: ¡Qué guay! ¿Cuándo es tu cumpleaños?

M1: Es el catorce de mayo.

3 d **F1**: El cumpleaños de mi padre y mi tío es el veintiocho de mayo y el de mi prima es el dos de junio. ¡Tengo que comprar muchos regalos!

Track 03 — p.4

2 a **M1**: Farah, ¿te gusta el café?

F2: Cuando era pequeña, no me gustaba para nada. Sin embargo, ahora me encanta el café. Lo bebo todos los días.

2 b **M1**: ¿Por la mañana?

F2: Sí, normalmente. Mi desayuno preferido es una taza de café y una tostada con mermelada. No me gustan los cereales.

2 c **M1**: Y, ¿qué piensas de las verduras?

F2: En general, me gustan las verduras, sobre todo los champiñones, pero odio las patatas. ¡Tienen un sabor horrible!

2 d **M1**: ¿Cuál es tu fruta preferida?

F2: Mi fruta preferida… me encantan las peras. Sin embargo, mi madre no las compra nunca porque no le gustan para nada.

2 e **M1**: ¿Y te gusta el chocolate?

F2: Sí, a mí me gusta el chocolate, ¡es delicioso!

Section 2 — Me, My Family and Friends

Track 04 — p.6

E.g. **M2**: Me llamo Jaime y acabo de cumplir quince años. Soy de Madrid. A mi modo de ver, Madrid es una ciudad fenomenal.

2 a **M2**: Mi mejor amiga se llama Ainhoa. Es bastante difícil escribir su nombre. Se escribe A-I-N-H-O-A.

2 b **M2**: Su cumpleaños es el treinta de noviembre. Siempre es dificilísimo encontrar regalos para ella porque ya tiene casi todo lo que quiere.

2 c **M2**: Ainhoa nació en el año 2002.

2 d **M2**: El verano pasado, fui al norte con ella para visitar a su familia. Es del norte de España. Somos amigos desde hace siete años. Nos conocimos en el parque en nuestro barrio.

Track 05 — p.9

E.g. **M1**: ¡Hola! Soy Luca. Tengo los ojos marrones, el pelo largo y rizado, y tengo una barba también.

2 a **F1**: Soy Beatriz. Tengo el pelo rubio. Cuando era pequeña, tenía el pelo cortísimo porque era más fácil y más práctico correr, pintar y jugar así. Ahora tengo el pelo largo. Necesito llevar gafas porque veo muy mal.

2 b **M2**: Soy Faisal. En el futuro, quiero tener una barba porque hoy en día está muy de moda. Mis padres tienen los ojos azules, pero yo tengo los ojos marrones. Tengo el pelo negro y rizado.

2 c **F2**: Mi nombre es Pilar. Soy de altura mediana. Acabo de cortarme el pelo. Lo tenía muy largo pero ahora lo tengo corto. Preferiría tener el pelo menos rizado porque los rizos me fastidian mucho.

Track 06 — p.11

2 a **F1**: ¡Hola! Soy Mónica y voy a hablaros de mis amigos.

Mi amiga Antonia es una buena amiga, pero nunca quiere salir con nosotros. Prefiere quedarse sentada en el sofá viendo la televisión.

2 b **F1**: Mikhail es muy organizado con su trabajo escolar. Siempre hace sus deberes sin quejarse.

2 c **F1**: A Jessica le encanta practicar deportes emocionantes y peligrosos. Hace unas cosas que yo nunca podría hacer. No sé cómo las hace sin tener miedo.

2 d **F1**: Veo a mi amiga Fátima con mucha frecuencia. A ella, le encanta salir y organizar fiestas para nosotros. Siempre me divierto cuando ella está allí.

2 e **F1**: Roberto no es tan sociable y prefiere pasar su tiempo leyendo blogs sobre videojuegos. No habla mucho, pero es una buena persona.

Track 07 — p.16

1 a **F1**: ¡Hola Saúl! ¿Qué tal? ¿Cómo vais con los planes para la boda?

M1: Bien gracias, Inés. Tendrá lugar el 22 de junio.

F1: Fenomenal. ¿Dónde vais a celebrar la boda?

M1: Bueno, yo quería casarme por la iglesia, pero Alba no quería hacerlo así, así que vamos a casarnos en la playa.

F1: ¡Qué emocionante! ¿Vais a invitar a mucha gente, o solo a vuestras familias?

M1: Habrá muchísima gente y espero que haga buen tiempo.

F1: Espero que os vaya bien.

M1: Gracias.

1 b **M1**: ¿Te gustaría casarte algún día?

F1: No lo sé. Sería muy romántico. Me encantaría tener una fiesta y llevar un vestido blanco.

M1: Entonces, ¿por qué no?

F1: Pues mis padres no están casados, pero se llevan muy bien. Creo que es más importante hacer cosas juntos y pasarlo bien que tener una fiesta.

M1: Ya entiendo.

Section 3 — Technology in Everyday Life

Track 08 — p.18

3 a **M2**: Bueno, Laura, ¿para qué usas Internet?

F2: En primer lugar, uso Internet para hacer mis deberes. Sin él, no podría buscar la información que necesito para estudiar.

M2: Sí, yo también uso la red para aprender. Es una herramienta muy útil. Sería muy difícil sin tener una conexión en casa.

3 b **M2**: ¿Usas la red para algo más, Laura?

F2: Sí, uso la red para hacer las compras. Es muy fácil elegir lo que quieres y lo mejor es que no tienes que salir de casa.

3 c **M2**: Pero, ¿no te preocupa la idea de comprar cosas por Internet? He leído unos artículos muy inquietantes sobre la seguridad.

F2: No. De hecho, uso Internet también para organizar mis cuentas bancarias. Es más conveniente que ir al banco, y tengo un buen servidor de seguridad.

3 d **M2**: No sé cómo puedes pagar así. Para mí, la desventaja más grande de Internet es que la gente puede robar tu información, incluso tus contraseñas.

3 e **F2**: No estoy de acuerdo. Para mí, lo más inquietante de la red no es el riesgo de fraude, sino que hay mucha gente peligrosa que te puede mentir.

Track 09 — p.20

4 a **F1**: Bueno, me llamo Azucena. Estoy aquí con mis compañeros de clase Sharif y Silvia y voy a empezar el debate. Según mi madre, las redes sociales crean un sinfín de problemas. Cuando tengo disputas con mis amigos, ella siempre echa la culpa a las redes sociales. Sin embargo, son muy importantes en mi vida. Desde mi punto de vista, no tienen ni una desventaja.

4 b **M2**: Muy interesante, Azucena. Sin embargo, a mi modo de ver, hay dos tipos muy diferentes de redes sociales. Por un lado, las salas de chat en las que hablas con la gente que no conoces y por otro lado, hay otros tipos de redes sociales en las que solo hablas con tus amigos. Debido a esta diferencia, las salas de chat son peligrosas, pero otras redes sociales pueden tener muchas ventajas.

4 c **M2**: ¿Qué opinas tú, Silvia?

F2: Cuando vamos a un restaurante, mis amigos hacen fotos de la comida y las cuelgan en seguida. No me gusta que mis amigos no quieren ni hablar ni divertirse — solo quieren publicar cosas aburridas en sus muros. Creo que es de mala educación hacer eso.

Section 4 — Free-Time Activities

Track 10 — p.22

E.g. **M2**: ¡Hola! Soy Luis. Cuando era pequeño, tocaba el piano, pero no practicaba mucho y entonces no podía mejorar. Ahora canto en un coro. En el futuro, me gustaría aprender a tocar la guitarra.

2 a **M2**: ¿Tocas algún instrumento, Rubén?

M1: De niño no tocaba nada, pero sí cantaba todo el tiempo. Actualmente toco el clarinete en una orquesta. Cuando sea mayor, me gustaría ser músico profesional, porque creo que sería un sueño viajar por el mundo.

2 b **M1**: Y a ti, Elena, ¿te gusta la música?

F1: Sí, me gusta la música. El año pasado, empecé a tocar la flauta, pero no me gustó, así que dejé de tomar clases. Ahora prefiero escuchar música, y el año que viene, iré a un concierto de mi grupo preferido.

Track 11 — p.24

2 a **F1**: ¿Qué género de películas te gusta más, Mariano?

M1: A mí me gustan las películas de aventura porque son emocionantes, pero mis películas preferidas son siempre las comedias.

2 b **F1**: ¿De qué se trata la última película que viste?

M1: Se trata de un hombre que pierde su gato y tiene que encontrarlo antes de que su mujer vuelva de vacaciones. ¡Qué gracioso!

2 c **M1**: ¿Te gustan las comedias también, Dounia?

F1: No tanto. Para mí, el aspecto más importante de una película es la banda sonora. Si una película tiene una banda sonora fenomenal, la película será fantástica también.

2 d **M1**: ¡Qué interesante! Y a ti, ¿te gustan las películas de terror?

F1: No, detesto las películas de terror porque son desagradables. Odio la sensación de no saber lo que va a pasar y tener que cerrar los ojos cuando alguien muere de una manera violenta. Por eso me gustan mucho los dibujos animados — a veces son un poco infantiles, pero por lo menos no me dan miedo.

Track 12 — p.26

1 a **F1**: Soy Jamila. Hay restaurantes de comida italiana por todas partes. Me encanta la comida italiana, sobre todo la pizza. Mi pizza preferida es la pizza hawaiana porque me encantan el jamón y la piña.

Cuando salgo a un restaurante para comer, normalmente elijo restaurantes chinos porque la comida siempre huele fenomenal. Sin embargo, lo malo de la comida china es que es difícil prepararla en casa sin gastar mucho dinero en los ingredientes.

1 b **F1**: Y a ti, Ramón, ¿qué te gusta comer?

M1: La comida estadounidense tiene mucha grasa, sal y azúcar. Para mí, es importante comer bien y eso significa comer fruta, verduras y pocas hamburguesas.

Desde mi punto de vista, la comida japonesa ofrece todo esto. Los japoneses tienen una dieta muy sana. Comen mucho pescado y, por lo general, es un país bastante sano gracias a la comida. Me gustaría aprender a cocinar más platos japoneses.

1 c **M1**: ¿Estás de acuerdo, Angélica?

F2: Sí, más o menos. Para mí, es importante comer bien, pero prefiero los platos menos exóticos, por ejemplo los de España. Mi plato preferido es la paella porque me encantan los mariscos.

Recientemente probé unos platos tailandeses. Las salsas estaban muy picantes, entonces no me gustaron mucho, pero sí que me gustó el sabor del arroz.

Track 13 — p.27

1 a **F1**: ¡Buenas tardes señor! ¿En qué puedo servirle?

M1: Quisiera una limonada grande con hielo, por favor.

1 b **F1**: Muy bien. Y ¿quiere comer algo?

M1: No sé si prefiero unos calamares o un filete. ¿Qué me recomendaría?

F1: Los dos platos están siempre muy ricos, pero creo que el cocinero recomendaría el filete. Es muy sabroso y la carne viene de esta región.

1 c **M1**: Pues entonces pediré el filete con verduras y patatas fritas, por favor.

F1: Sí, claro. Y ¿postre también?

1 d **M1**: No debería tomar nada de postre, pero un poquito de helado no me haría ningún daño. Un helado de fresa, por favor.

F1: Muy bien, señor.

Track 14 — p.29

4 a **F1**: ¡Hola! Soy Mireia. A mí me gusta jugar al fútbol porque es muy divertido. Sin embargo, solo lo veo de vez en cuando porque para mí es menos entretenido verlo en la tele. En cuanto a los deportes que veo, tendría que decir que prefiero ver el tenis. Veo todos los partidos de Wimbledon y la dedicación de los jugadores siempre me parece fenomenal.

4 b **F1**: ¿Te gusta ver el tenis, Rahim?

M2: A mí no me gusta mucho porque los partidos duran hora tras hora. Me encantan los Juegos Olímpicos. Los deportes olímpicos que más me gustan son el atletismo y la natación. No sé mucho sobre esos deportes, pero me convierto en experto cada cuatro años.

4 c **M2**: Y a ti, Isabel, ¿te gusta ver el deporte en la televisión?

F2: Pues a mi hermano siempre le ha encantado ver el rugby todos los fines de semana. No podía evitarlo, entonces empecé a ver los partidos con él y ahora veo el rugby incluso cuando él no está en casa. Además, me gusta ver el fútbol y la natación.

Section 5 — Customs and Festivals

Track 15 — p.30

2 a **M1**: ¡Bienvenidos a todos! Vamos a empezar esta visita guiada aquí. En esta pared, hay colgadas fotos de una fiesta muy tradicional que se celebra en México — el Día de los Muertos.

2 b **M1**: Las fotos más antiguas están a la izquierda y las más modernas están a la derecha, así que podrán entender cómo ha cambiado la manera de celebrar el Día de los Muertos a través de los años.

2 c **M1**: Como se puede ver, muchos mexicanos llevan maquillaje y se disfrazan de esqueletos. Además, las tiendas venden esqueletos y huesos hechos de azúcar.

2 d **M1**: También se puede ver imágenes de unos cementerios decorados por las familias de los muertos. Hay que recordar que a pesar de las celebraciones, el Día de los Muertos también es una fiesta seria en la que se recuerdan parientes difuntos.

2 e **M1**: El Día de los Muertos siempre tiene lugar el primer día de noviembre y es una de las fiestas más tradicionales e importantes de nuestra cultura.

Track 16 — p.32

5 a **F1**: Soy Clara. Mi padre es español y mi madre es de China, así que tenemos la suerte de celebrar el año nuevo dos veces — una vez el 1 de enero y luego otra vez en febrero con mis abuelos maternos. Si solo pudiera celebrar el año nuevo una vez, lo haría al estilo chino porque es más impresionante: hay procesiones larguísimas, dragones y todo el mundo se viste de rojo.

5 b **F1**: Sin embargo, lo que más me gusta en cuanto a las celebraciones del año nuevo en España es que cuando escuchas las campanadas de medianoche, tienes que comer doce uvas. Parece una tradición tonta, pero en realidad es muy divertida, tanto para los niños como para los adultos.

5 c **M2**: Mi nombre es Tariq, y ya que soy musulmán, durante el mes de Ramadán, no debo ni comer ni beber durante el día. Luego, al fin del mes, celebramos Eid al-Fitr. Me encanta porque llevamos ropa nueva y visitamos a nuestros parientes. Sin duda, lo mejor de las festividades es que comemos muchos platos tradicionales que no tenemos tiempo para preparar normalmente.

Section 6 — Where You Live

Track 17 — p.33

2 a **M1**: Cuéntame un poco sobre dónde vives Ana.

F2: Vivo ahora en una ciudad bastante pequeña en el sur de España. No tiene muchas instalaciones nuevas, pero las que existen son buenas. Lo mejor es que hay muchas zonas antiguas que son estupendas.

2 b **M1**: Y ¿qué se puede hacer en tu ciudad?

F2: Bueno, en mi barrio se puede visitar el mercado donde se venden productos tradicionales. En el centro de la ciudad, hay un museo fenomenal. También, cuando mis amigos y yo queremos divertirnos, vamos a la bolera.

2 c **F2**: Y tú Pablo, ¿dónde vives?

M1: Vivo en una aldea. Es un lugar tranquilo y rural, pero lo malo es que la tienda más cercana está a unos treinta kilómetros de la aldea.

Track 18 — p.35

2 a **M2**: Háblame de tu casa, Emilia.

F1: Vivo con mis padres en una casa adosada en las afueras de la ciudad. Me encantaría vivir en una casa más grande, pero costaría demasiado dinero.

M2: Pero, ¿te gusta la casa, no?

Transcripts

F1: Sí, por lo menos está situada en un barrio muy popular y seguro. El interior de la casa es muy moderno y tenemos varios estilos de muebles.

2 b **F1**: ¿Dónde vives tú, Santiago?

M2: Alquilo un piso pequeño con mi primo. Compartimos un cuarto de baño y una cocina.

F1: ¿Te gusta vivir allí, Santiago?

M2: Lo malo es que nuestro piso se encuentra en la quinta planta, ¡pero no hay ascensor! Me fastidia tener que subir y bajar las escaleras, especialmente ya que las lavadoras están en el sótano. Quiero mudarme pronto.

Track 19 — p.37

3 a **F1**: ¿Qué haces para ayudar en casa, Juana?

F2: Pues mi madre es muy simpática y no me hace ayudar nunca en casa. ¡Ni siquiera sé poner el lavaplatos ni la lavadora! ¡No sé qué haré cuando vaya a la universidad el año que viene!

3 b **F1**: ¡No es justo! Tengo que ayudar mucho porque mi padre no vive en casa desde hace muchos años.

3 c **F2**: Dame un ejemplo de lo que tienes que hacer, Manuela.

F1: Durante la semana, debo quitar la mesa, arreglar mi dormitorio y a veces sacar la basura.

3 d **F2**: Y los fines de semana puedes relajarte, ¿no?

F1: No, los fines de semana tengo que preparar la cena para mi mamá y mi hermana menor.

Track 20 — p.38

1 a **F1**: Quisiera comprar un reloj para mi marido. Quiero gastar ciento cincuenta euros aproximadamente. ¿Puede usted mostrarme algunos?

1 b **F2**: Claro, señora. Vamos a ver… Tenemos estos de oro pero también están disponibles en plata.

F1: Prefiero aquel reloj con la cara grande. ¿Cuánto cuesta?

1 c **F2**: Tiene suerte porque hoy le ofrecemos un descuento del veinte por ciento. Pues con el descuento serían solo ochenta y cinco euros.

1 d **F1**: ¡Estupendo! ¡Lo compraré! ¿Cómo puedo pagar?

F2: Se puede pagar en efectivo o con tarjeta de crédito, como usted quiera.

F1: Fenomenal. Pagaré con tarjeta de crédito entonces.

1 e **F2**: Muy bien. ¿Quiere que le ponga el recibo en la bolsa?

Track 21 — p.39

4 a **M1**: Hola. ¿En qué puedo servirle?

F1: Compré estas gafas de sol la semana pasada pero hay un problema.

4 b **M1**: ¿Cuál es el problema?

F1: Cuando las saqué de la bolsita, noté que ya estaban rotas. Me costaron cien euros, son carísimas. ¿Me puede reembolsar, por favor?

4 c **M1**: Lo siento muchísimo, pero no podemos hacerle un reembolso. Sin embargo, puede cambiar las gafas rotas por unas gafas nuevas. ¿Cuáles prefiere usted?

F1: Vale… aquellas gafas de sol verdes, por favor.

Track 22 — p.41

2 a **F2**: Perdóneme señora, pero estoy muy perdida. ¿Sabe usted dónde está el polideportivo? Es que voy allí a jugar al bádminton con mi amigo, pero no sé si está detrás de la carnicería o enfrente del teatro.

2 b **F1**: No se preocupe, el polideportivo está muy cerca. Siga todo recto, tome la segunda calle a la derecha y está entre la biblioteca y la iglesia.

F2: ¡Muchas gracias, señora!

2 c **F2**: Y si queremos tomar un café después, ¿me puede recomendar una cafetería?

F1: Sí, hay una cafetería muy buena en la misma calle que el polideportivo — está en la esquina.

Section 7 — Social and Global Issues

Track 23 — p.43

1 a **F1**: ¡Hola! Soy Briana. Vivo en el norte de España, donde hemos visto unas inundaciones terribles. Ha sido un gran problema para mucha gente. Por eso, a pesar de que hay sequías en otras partes del mundo, el problema medioambiental que más me preocupa es la amenaza de inundaciones.

1 b **M2**: Entiendo por qué dices eso, Briana. Yo soy Alberto y por mi parte, creo que hay muchos problemas inquietantes, entre ellos los desastres naturales y el cambio climático. Sin embargo, la deforestación me parece más preocupante porque los árboles nos ayudan mucho.

1 c **F2**: Muy interesante, Alberto. Mi nombre es Raquel y para mí, el problema que más me molesta tiene que ver con nosotros. Alguna gente es tan perezosa que en vez de buscar una papelera, tira su basura en la calle. ¡Qué asqueroso! Debemos reducir la cantidad de basura que producimos.

Track 24 — p.45

1 a **M2**: ¡Hola a todos! Yo soy Arturo y hoy vamos a hablar con una política que quiere transformar la vida en nuestra ciudad. ¡Hola, Señora Rodríguez!

F2: ¡Buenos días!

M2: Bueno, usted ya ha dicho que hay unos problemas que quiere solucionar. ¿Por dónde quiere empezar?

F2: Voy a empezar con el problema de la desigualdad social. Aquí los ricos son muy ricos y los pobres son muy pobres.

1 b **F2**: Me parece ridículo que haya gente que no tiene suficiente dinero para comprar comida y ropa para sus familias. Además, algunas personas pasan frío en sus casas porque no tienen dinero para gastar en calefacción.

1 c **M2**: Vale. ¿Hay algún otro problema que usted quiera mencionar?

F2: Sí. Debido a la desigualdad social, hay mucho prejuicio. Alguna gente cree que los pobres son perezosos.

1 d **F2**: A veces, este prejuicio acaba en violencia, sobre todo entre los jóvenes. Este es el último problema que me gustaría solucionar.

Track 25 — p.46

4 a **F1**: ¡Hola! Soy Mariam. No soy española, pero vivo aquí en España desde hace un año.

M1: ¿Por qué decidiste venir aquí?

F1: Hay una guerra en mi país, así que mis padres decidieron emigrar para tener una vida mejor.

4 b **M1**: ¿Cómo es la vida en el país donde naciste?

F1: Es muy difícil. Hay muchísima pobreza. Lo peor es que las mujeres tienen pocos derechos. Como niña, es más difícil ir al colegio, y luego como mujer, es más difícil conseguir un trabajo bien pagado.

4 c **M1**: ¿Crees que la vida es mejor aquí?

F1: Por una parte, sí. Tengo más libertad aquí y hemos tenido suerte porque mi padre ha podido retomar su oficio de carpintero.

M1: ¿Hay alguna desventaja?

F1: Al principio fue difícil porque no sabía ni una palabra de español y me costaba mucho hacer amistades. Lo bueno es que no era víctima de prejuicio. Una amiga mía sí ha sido víctima de prejuicio, pero yo no.

Track 26 — p.48

4 a **M2**: Me llamo Rafael González y soy el jefe de ComidaYes. Para nosotros, es muy importante proteger el medio ambiente. Por eso, vamos a cambiar nuestras bolsas. Actualmente son de plástico. Sin embargo, a partir del junio que viene, solo vamos a ofrecer bolsas de tela.

4 b **F2**: Dulcísimo es una compañía que produce bombones de chocolate. De momento, nuestra fábrica se encuentra en Madrid y los productos tienen que venir aquí a Barcelona en camión. Claro, eso no es bueno para el medio ambiente. Dentro de unos meses, vamos a empezar a producir los bombones aquí en Barcelona, en vez de en Madrid.

Section 8 — Lifestyle

Track 27 — p.50

1 a **M2**: Tenemos aquí a Julia. Julia acaba de lanzar una campaña para animar a la gente a desayunar de una manera más saludable. Julia, ¿por qué es importante que la gente desayune?

F1: Pues tengo dos hijas y hace unos años, noté que la menor había dejado de desayunar porque no quería engordarse. Me preocupó mucho porque yo siempre había considerado el desayuno como la comida más importante del día.

1 b **M2**: Entonces, ¿qué hizo usted?

F1: Empezamos a buscar información juntas sobre el tema del desayuno. Resulta que la gran mayoría de los científicos cree que es esencial desayunar debido a la relación bastante fuerte que hay entre la gente que desayuna todos los días y la gente que lleva una vida sana. Después de informarse un poco más, mi hija decidió que sería mejor no saltarse el desayuno.

1 c **M2**: ¿Qué deberíamos desayunar, entonces?

F1: Yo creo que lo más importante es desayunar lo más equilibrado y variado posible. Como dice la expresión, la variedad es la sal de la vida. Pero en serio, huevos, cereales y tostadas son opciones buenas y baratas. Lo único que hay que recordar es que algunos cereales contienen cantidades extraordinarias de azúcar, lo que puede afectar a los dientes.

M2: Muchas gracias, Julia.

Track 28 — p.51

2 a **F1:** ¿Qué piensas del consumo del alcohol, Tom?

M1: Desde mi punto de vista, creo que beber demasiado alcohol es peligroso. No me gusta cuando mis amigos beben demasiado.

2 b **F1:** ¿Crees que es la responsabilidad del gobierno limitar el consumo excesivo?

M1: Sí, sin duda. Podría limitar o incluso prohibir los anuncios publicitarios de alcohol para combatir el consumo excesivo.

2 c **F1:** ¿Y eres fumador?

M1: Yo no, pero mi novia sí. Odio el olor del humo. Me alegro de que ahora no se pueda fumar ni en bares ni en restaurantes.

2 d **F1:** ¿Quieres que tu novia deje de fumar?

M1: Sí, el tabaquismo es un problema grave. Me preocupan mucho los efectos negativos que tiene en la salud de mi novia. Los cigarrillos hacen mucho daño.

Section 9 — Travel and Tourism

Track 29 — p.54

1 a **F1:** Hotel Cristal, buenos días.

M1: ¡Hola! ¿Es posible reservar una habitación doble para esta noche y mañana por la noche?

F1: Un momento… Sí, hay habitaciones disponibles.

M1: ¡Perfecto! Y, ¿es posible reservar una habitación que tenga vista a las montañas?

F1: Claro que sí.

M1: Finalmente, ¿a qué hora se cierra el restaurante en el hotel? Es que no vamos a llegar hasta las nueve y media.

F1: No se preocupe, señor. El restaurante se cierra a las once y media.

M1: Gracias.

1 b **F1:** Hotel Cristal, buenas tardes.

F2: Buenas tardes. Soy Paloma Beltrán. Tengo una reserva en el hotel esta noche. ¿Puede confirmar que tengo alojamiento de media pensión? No me acuerdo bien, ya que reservé la habitación hace cuatro meses.

F1: Sí, usted tiene alojamiento de media pensión.

F2: Estupendo. Y, ¿hay aparcamiento cerca del hotel? Es que tenemos un coche bastante grande.

F1: El aparcamiento más cercano está a unos cinco minutos del hotel.

F2: Fenomenal. Y, ¿el aparcamiento es seguro?

F1: Sí, hay unos guardias que vigilan los coches 24 horas al día.

F2: Muy bien. Muchas gracias.

Track 30 — p.55

2 a **M2:** ¡VaVaVacaciones! Buenos días, soy Javier. ¿Cómo puedo ayudarle?

F2: Hola. Quisiéramos reservar unas vacaciones. Todavía no hemos decidido adónde queremos ir, pero nos gustaría ir en febrero. ¿Puede usted aconsejarnos?

2 b **M2:** ¡Por supuesto! ¿Ustedes prefieren viajar lejos o visitar un país cercano?

F2: A mi marido no le gusta viajar lejos en avión, por eso diría un país cercano.

2 c **M2:** Muy bien. Y, ¿qué les importa más — el sol o la cultura?

F2: Las dos cosas. Mi marido prefiere broncearse en la playa, pero a mí me encanta visitar centros históricos.

2 d **M2:** Entonces les recomiendo Roma, la capital de Italia.

F2: No hemos estado nunca en Roma. ¿Cuánto cuesta?

2 e **M2:** El mejor precio sería €495 por persona, todo incluido.

F2: Lo reservaremos. ¡Muchas gracias!

Track 31 — p.57

2 a **F2:** Inaya, ¿qué haces cuando estás de vacaciones?

F1: Cuando viajo a una ciudad extranjera, me gusta mucho visitar monumentos históricos. La historia me fascina. A mi amigo y a mí nos gusta ir a las Islas Canarias. Mi amigo es muy activo y cuando vamos a la playa, él hace deportes acuáticos. Yo no soy deportista y no me gustan los deportes acuáticos para nada. Prefiero broncearme y me encanta leer un libro.

2 b **F1:** ¿Qué actividades te gusta hacer, Loren?

F2: Cuando voy de vacaciones, siempre llevo mi máquina conmigo porque me encanta sacar fotos. También, me gusta mirar las tiendas para comprar recuerdos para mi familia.

Section 10 — Current and Future Study and Employment

Track 32 — p.60

1 a **F2:** ¿Qué asignaturas vas a elegir para tus GCSEs, Paco?

M1: Pues es obligatorio estudiar las matemáticas, el inglés, las ciencias y el francés.

F2: Sí, sí. Y además de las materias obligatorias, ¿hay alguna asignatura que te gustaría estudiar?

M1: Todavía no sé, pero tengo que elegir pronto. Cada vez que pienso que por fin he decidido, cambio de opinión. Si supiera a qué quiero dedicarme en el futuro, sería mucho más fácil elegir.

1 b **F2:** Alguna gente diría que a la hora de escoger las optativas, lo mejor es elegir las asignaturas más fáciles, pero yo creo que lo más importante es elegir asignaturas que te gusten. Si te gustan, será más fácil estudiarlas.

1 c **M1:** Eso es verdad. Me encantan el dibujo y el arte dramático porque soy bastante creativo. Entre la geografía y la historia, prefiero la historia porque es fascinante aprender sobre el pasado.

Track 33 — p.61

2 a **M1:** En España, el día escolar normalmente empieza a las ocho de la mañana. En mi colegio, tenemos dos clases antes del recreo, dos entre el recreo y el almuerzo y luego dos más por la tarde.

2 b **M1:** Durante el almuerzo, es posible ir a un club de deporte, pero la mayoría de mis amigos va a casa para almorzar. Se puede almorzar en la cantina, pero no es habitual comer en el colegio.

2 c **M1:** ¿Cómo es la rutina en Irlanda, Alana?

F1: La rutina en mi colegio en Irlanda es bastante distinta a la tuya. El día comienza más tarde, a las nueve. A las once, hay un recreo y almorzamos a las doce y media. Me gustaría tener otro recreo por la tarde porque es difícil concentrarte cuando ya estás cansado.

Track 34 — p.63

2 a **F1:** Soy Nuria. Quiero hablar sobre el acoso escolar. Por lo general, los alumnos en este colegio son simpáticos, pero hay algunos que intimidan a otros estudiantes. Me parece muy injusto. Creo que sería una buena idea tener un profesor dedicado al apoyo de las víctimas del acoso escolar.

2 b **M1:** Soy Syed. Para mí, el problema que más me afecta no es el acoso escolar, sino el número de reglas que hay. Creo que algunas reglas son importantes. Sin embargo, hay otras reglas que me fastidian porque las encuentro estúpidas. Por ejemplo, no nos dejan ir al baño durante las clases. Eso me parece muy injusto.

2 c **F2:** Soy Lucía. A mi modo de ver, nos dan demasiados deberes. Es importante hacer los deberes, pero creo que una hora cada día es suficiente.

2 d **F2:** Además, si tuviéramos menos deberes, tendríamos más tiempo para hacer deporte y relajarnos. Estaríamos menos estresados y probablemente las asignaturas nos parecerían más interesantes también.

Track 35 — p.66

1 a **F1:** ¡Hola! Soy Kyra y acabo de solicitar un puesto de abogada. Tuve que mandar mi currículum a la compañía y tendré que ir a una entrevista. Lo malo de este empleo es que sería bastante estresante. Sin embargo, soy una persona ambiciosa y me gustaría tener un sueldo bastante grande.

1 b **M2:** Soy Rafael y me gustaría ser contable. He estudiado matemáticas y me gustaría trabajar con los números. Creo que se puede encontrar por lo menos un inconveniente relacionado con cualquier empleo. En este caso, es que sería aburrido pasar todo el día en una oficina.

1 c **F2:** Mi nombre es Laura. Actualmente creo que me gustaría ser bombera. Es un empleo difícil porque tienes que trabajar por la noche y los fines de semana también. Pero por lo menos me daría la oportunidad de ayudar a otra gente, lo que resultaría muy gratificante.

Section 11 — Literary Texts

Track 36 — p.70

3 a **F1:** Caballero dio un paso hacia la puerta. Pero en aquel instante entraron los dos niños pequeños de Rosalía, que venían del colegio. Corrieron ambos a abrazar a su mamá y después a Amparo. […]

3 b **F1:** — La merienda, mamá — clamaron los dos a un tiempo.

3 c **F1:** — La merienda, mamá — repitió Caballero, tomando a cada uno de una mano y saliendo con ellos hacia el comedor.

Transcripts